LES CRIMES DU QUÉBEC

CAR
ACT
ÈRE

Conception de la couverture : Caserne
Révision : Françoise Major-Cardinal
Conception de la grille graphique : Kim Lavoie
Illustrations (intérieur) : shutterstock.com
Correction d'épreuves : Maryse Froment-Lebeau

Imprimé au Canada

ISBN : 978-2-89642-627-0

Dépôt légal – Bibliothèque et Archives nationales du Québec, 2013

2e impression, 2013

Les Éditions Caractère remercient le gouvernement du Québec – Programme de crédit d'impôt pour l'édition de livres – Gestion SODEC.

Les Éditions Caractère reconnaissent l'aide financière du gouvernement du Canada par l'entremise du Fonds du livre du Canada pour leurs activités d'édition.

Visitez le site des Éditions Caractère
editionscaractere.com

Table des matières

Les années 1950

Les années 1960

Les années 1970

Les années 1980

Les années 1990

Les années 2000

Faits divers

LES ANNÉES

1950

QUI VOLE UN ŒUF… TUE UN GENDARME

MONTRÉAL, 1950

Beaucoup pensent que le destin tire les ficelles de nos vies, et que notre chemin, quoi qu'on fasse, est tracé d'avance. Une chose est certaine : les deux hommes qui ont perdu la vie des suites du vol de banque raté du 25 mai 1950, au centre-ville de Montréal, menaient tous deux des vies dangereuses. Même si chacun se trouvait aux extrémités du spectre de la loi, la mort les suivait toujours, comme une ombre ; il n'était que dans l'ordre des choses qu'elle les rattrape de façon tragique un jour ou l'autre.

Alexander Gamman, 58 ans, constable de la Gendarmerie royale du Canada, était un homme apprécié de tous, en particulier des employés de la Banque du Canada qui le croisaient tous les jours au siège social, rue Craig, où il était responsable de la sécurité depuis cinq ans. Originaire de Londres, Gamman avait immigré en Alberta et s'était engagé dans la GRC en 1914 ; il s'était enrôlé dans l'armée canadienne trois ans plus tard. Après sa carrière militaire, il était retourné au service de la GRC en 1939. Sa famille élargie vivait toujours à Calgary ; trois jours avant le drame, il avait fait une demande de congé afin d'aller la visiter le mois suivant. Sa famille aurait sans nul doute préféré le garder près d'elle, mais peut-être a-t-elle été consolée par le fait qu'il est mort en héros, en tentant, sans même avoir d'arme sur lui, d'arrêter un voleur de banque en fuite.

Ce voleur, c'est Joseph Rossler — de son vrai nom, Iossef Olander. Né à Winnipeg de parents d'origine polonaise, ce colosse chauve de 45 ans mène une vie qui lui a valu de multiples séjours en prison. « Qui vole un œuf vole un bœuf », dit l'adage. Pour Rossler, tout commence avec une simple bicyclette, à l'âge précoce de huit ans. Puis, il se lie d'amitié avec les mauvaises personnes, et sa manie ne guérit pas, au contraire. Il fait les poches des insouciants dans la rue, part avec la caisse quand les commis ont le dos tourné... Les braquages se multiplient et, comme il n'arrive pas toujours à s'en tirer, il accumule les peines d'emprisonnement : Calgary, Colombie-Britannique, Montana... Il écope même d'une peine de 50 ans dans l'État de Washington, mais il parvient à s'échapper du pénitencier. Il s'installe à Montréal trois ans avant le braquage fatidique. Trois ans au cours desquels plusieurs vols de banque perpétrés par un mystérieux colosse chauve restent irrésolus.

L'avant-midi du 25 mai 1950, Rossler s'envoie whisky sur whisky au bar d'un hôtel. Et comme cela s'est déjà produit tant de fois, il lui prend l'envie de braquer une banque, envie sans doute décuplée par l'effet grisant de l'alcool. Il part donc armé de son calibre .32 vers la côte du Beaver Hall. Direction : succursale de la Banque de Toronto. Il entre avec l'assurance du braqueur d'expérience, attend en ligne et, quand son tour vient enfin, exige d'une guichetière qu'elle lui donne le contenu de sa caisse. La jeune femme n'a pas le même sang-froid que son interlocuteur. Sa réaction pour le moins expressive surprend tout le monde, y compris le voleur : il décampe illico. Stan Bickley, le directeur de la banque, décide de jouer les justiciers et part à sa poursuite. Mal lui en prend. Bien qu'il tire le premier en direction du fuyard, c'est ce dernier qui vise juste. Le directeur est atteint à la jambe et s'écroule, provoquant la panique des banquiers qui sortent à sa suite. Malgré la souffrance, il parvient à crier : « Attrapez cet homme ! »

Le constable Gamman passe justement par là, en route vers son domicile pour la pause du dîner. Il a quitté le siège social de la rue Craig quelques minutes plus tôt, sans son arme, car il n'est pas en service, mais tout de même vêtu de son uniforme rouge. Le crime, lui, ne prend pas de pause... Gamman, un homme de principe qui a passé sa vie à défendre ses concitoyens, n'hésite pas une seconde à bondir sur le voleur. Il s'ensuit un corps à corps durant lequel plusieurs détonations retentissent. Une balle transperce les hauts-de-chausse bleus et la queue rouge de l'uniforme du constable ; il n'est pas touché. Une autre balle transperce une poche, toujours sans dommage. Mais la troisième, tirée dans un angle incongru, perfore le torse de l'homme juste au-dessus du cœur, déchire ses organes et va se loger dans son pelvis. Rossler, durant la lutte, se tire lui-même dans le haut de la cuisse, mais il parvient à s'enfuir, laissant derrière lui une piste de gouttes de sang qui s'arrête quelques coins de rue plus loin.

Trente-six heures après la fusillade, le constable Gamman décède à l'hôpital Saint-Luc. La GRC est en émoi, et l'armée décide de lui rendre des honneurs officiels. Tous affirment sans ambages qu'il est un héros, et des milliers de personnes sortent pour voir passer son cortège funèbre. Il est le premier agent de la GRC à être tué sur le territoire québécois. Son assassinat marque le début d'une chasse à l'homme qui tiendra le Canada et les États-Unis en alerte durant tout un mois.

*

Alors que les policiers et les ambulanciers se précipitaient sur les lieux du drame, plusieurs citoyens ont vu Rossler s'engouffrer dans un taxi. Quelques jours suffisent aux enquêteurs pour identifier le chauffeur en question, qui leur raconte son trajet avec le criminel, vers l'extrémité est de l'île. Mais les informations sont parcellaires, et, une fois sur place, les policiers trouvent peu d'indices. Ils imaginent que celui-ci est parti à Québec, ou retourné au centre-ville se terrer chez un ami ; ils se trompent.

Rossler, sitôt débarqué du taxi, s'avance sur la berge de la rivière des Prairies pour nettoyer ses plaies. Il trouve le moyen de traverser jusqu'à Terrebonne, où il se procure de nouveaux vêtements et des articles de premiers soins. C'est le début de la cavale. À la manière d'un animal blessé, attiré instinctivement vers son lieu d'origine, il prend le chemin de l'ouest, d'abord en autocar. Mais il craint de se faire remarquer et décide de voyager plus discrètement, en se faufilant dans les trains de marchandise. Il se rend ainsi jusqu'à Brandon, au Manitoba. Étourdi par sa fuite, il hésite, décide de revenir sur ses pas, et s'embarque dans un nouveau train. Mais pourquoi donc se rapprocher des gens qui le poursuivent ? Il change à nouveau de direction et repart vers l'ouest dans un autre wagon, traverse le Manitoba, et s'arrête à Moose Jaw, en Saskatchewan, où il terrorise, arme au poing et habillé de loques ensanglantées, un agent de sécurité de la gare. Dès lors, il commence à sentir la soupe chaude. Lorsqu'il aperçoit son portrait affiché dans un bureau de poste — portrait très ressemblant malgré qu'il soit dessiné au crayon —, avec la mention « criminel le plus recherché », Rossler se dit qu'il est fini. Il rejoint l'Alberta. À Calgary, rompu, sans le sou, il tente de renflouer ses coffres grâce à un nouveau vol à main armée. Décidément, il n'a plus la touche des beaux jours : le commis du magasin ne lève pas les mains docilement ; il se précipite plutôt sur le téléphone et appelle la police. Rossler s'enfuit une fois de plus sans magot — mais sans abattre de constable sur son chemin. Quelle ironie de rater son dernier crime dans la ville même où le corps de sa victime a été rapatrié après les cérémonies militaires, quelques semaines plus tôt ! Hasard ou destin ?

Rossler fuit vers le sud, traverse la frontière américaine, non sans avoir été remarqué par les policiers de la Gendarmerie, qui, mis sur sa piste, survolaient la région en avion. Les rangers américains lui mettent le grappin dessus le 17 juin 1950 : c'est la fin de la poursuite.

Au procès, le jeune avocat de Joseph Rossler tente de plaider l'homicide involontaire. En aucun temps son client n'avait eu l'intention de faire du mal à qui que ce soit : les balles sont parties accidentellement durant le corps à corps, quand Gamman lui a frappé la main pour qu'il perde son arme. D'ailleurs, malgré son lourd passé de voleur, jamais Rossler n'a été incriminé pour un geste de violence physique.

Cette défense ne convainc guère. Un spécialiste admet qu'une balle peut être tirée par accident ; quatre, non. Rossler est aussi trouvé coupable d'une douzaine de cas de vols à Montréal qui n'avaient pas été résolus jusqu'alors. Le jury ne délibère que 20 minutes. C'est vêtu d'un tricorne et de gants noirs, le costume d'apparat en usage dans de telles circonstances, que le juge revient devant la foule, à qui il demande solennellement de se lever : Rossler sera pendu le 15 décembre. À ces mots, celui-ci pince les lèvres et soulève les épaules.

La corde au cou, il gardera un sourire narquois jusqu'à ce que la trappe s'ouvre sous ses pieds.

BOUCHERIE DANS LES CANTONS

EAST HILL, 1951

Le 25 avril 1951 vers 19 h 30, alors que le soir tombe sur les Cantons de l'Est, Henri Bissonnette jouit de la tranquillité d'esprit qui est le salaire du travailleur méritant. Entouré de son frère et de la femme de celui-ci, il profite d'un bon repas. Il s'est s'occupé des bêtes vers 18 h : pas de souci à l'étable, sinon ce veau qui est un peu malade. Il faudra contacter le vétérinaire demain s'il ne prend pas du mieux, se dit le cultivateur en égrenant son chapelet quotidien. Il espère que ce ne soit pas un coup du maniaque qui torture les bêtes de la région. Un drôle de fêlé, celui-là...

Il faut dire qu'East Hill, un tout petit village situé dans les pittoresques montagnes Bolton, tout près du lac Brome, abrite plus d'un fêlé. Le lieu, isolé, semble parfait pour les âmes troublées, qui viennent trouver refuge dans les habitations dispersées à flanc de montagne.

Une de ces âmes en peine épie à ce moment même le bonheur tranquille des Bissonnette. Dissimulé dans la vieille érablière en amont de la ferme, le rôdeur a une vue imprenable sur le domaine du fermier. Il fume cigarette sur cigarette, des Express 333, sans jamais perdre les Bissonnette de vue. Parfaitement invisible. La sucrerie délabrée est plongée dans la pénombre, et un trou dans le mur lui permet de voir sans être vu.

À quoi cet espion mystérieux peut-il bien penser ?

On ne peut pas dire que son existence soit parfaitement brillante. Il y a quelques mois à peine, André Collin a délaissé une situation relativement lucrative de reporter-photographe à Montréal pour s'établir à la campagne avec sa conjointe Gisèle et le fils de celle-ci, né d'une autre union. La famille reconstituée a élu domicile dans une vieille ferme d'un coin presque sauvage des montagnes Bolton.

Malgré le calme qui règne sur la propriété, leur quotidien n'est pas des plus paisibles. Gagné par des accès de colère de plus en plus soudains, André Collin bat régulièrement sa femme et son beau-fils de 12 ans. Il avait tout quitté pour se refaire une santé, mais rien à faire... Ses pensées sont de plus en plus sombres et inavouables.

D'ailleurs, il ose à peine admettre les raisons de sa venue ici, en cette fraîche nuit de printemps. Au retour d'une excursion à Brome, il s'est fait conduire en charrette à partir de Knowlton ; à environ trois milles des terres d'Henri Bissonnette, il a coupé à travers les champs. Les voisins ont remarqué la grande silhouette de Collin, vêtu d'un long manteau noir et de bottes de bûcheron. Ils n'y ont pas pris garde : la scène leur est familière. En effet, Collin l'ermite parcourt souvent le trajet à pied entre la ville et sa demeure.

Un mouvement fait sursauter Collin. C'est le frère d'Henri et sa femme qui sortent de la maison de campagne. Les enquêteurs apprendront qu'ils se rendaient chez un voisin afin de l'assister. Cela n'intéresse pas Collin. La seule chose que ce départ signifie pour lui, c'est que la voie est libre...

André Collin est un homme désespéré. Il a fui la ville et ses problèmes en croyant pouvoir se recycler en fermier. Hélas, l'homme de 35 ans n'a aucune expérience en agronomie : lui et ses proches ont donc quitté les misères urbaines pour se plonger dans une misère encore plus noire et cachée, celle de la pauvreté des cultivateurs sans le sou. Ce jour-là, trouver de l'argent est impératif, et Collin sait que le bonhomme Bissonnette est en moyens. Dans la petite communauté d'East Hill, ce dernier est reconnu pour sa générosité. Ses affaires sont florissantes : métairie, cultures maraîchères... tout lui réussit. Il est de notoriété publique qu'il a toujours de 400 $ à 500 $ dans les poches, une somme considérable à l'époque. Tous savent aussi qu'il conserve de l'argent dans une petite boîte de fer blanc rangée dans le tiroir du bas de sa commode.

La générosité du père Bissonnette est le dernier espoir de Collin, qui n'a plus aucune ressource. Il doit absolument obtenir quelques dollars du vieux...

Que se passe-t-il entre 19 h 30 et 21 h 30, le soir du 25 avril 1951 ? Les détails ne seront jamais entièrement élucidés. Ce qui est certain, c'est qu'un horrible carnage a lieu.

La bataille se déroule entre la cuisine, le passage et la chambre à coucher; elle est d'une violence inouïe. Le septuagénaire se défend avec courage contre son agresseur, vraisemblablement fou de rage. Mais Collin a finalement raison du vieux, qu'il poignarde, taillade, charcute, égorge.

Lorsqu'on le retrouve, la gorge de Bissonnette est ouverte d'une oreille à l'autre, comme si on y avait découpé un quartier. Son œsophage est complètement sectionné; le cadavre gît dans une énorme mare de sang. Le sang, d'ailleurs, recouvre toutes les surfaces de la maison: le plancher est inondé de flaques; les murs sont maculés de giclures et des traces des combattants, là où ils se sont appuyés; même le plafond a été atteint de jets puissants. Des artères ont certainement été coupées. Les mains du vieux fermier ne sont plus qu'une bouillie innommable, qui atteste de ses vaines tentatives de défense.

L'autopsie révélera qu'Henri Bissonnette a été mutilé de 32 coups de couteau, dont au moins 20 étaient mortels. Certains ont été assénés avec une telle puissance que la lame s'est enfoncée dans le plancher.

Pourquoi tant de rage envers ce brave homme au cœur sur la main, qui n'hésitait jamais à aider son prochain? On ne peut que spéculer. André Collin lui en voulait peut-être seulement d'être prospère. De réussir.

Quoi qu'il en soit, les poches du pantalon de la victime ont été délestées de leur contenu. La petite caisse de fer aussi est dépouillée des 1450 $ qu'elle contenait.

Il faut plusieurs mois à Roch Dandenault, enquêteur au service des homicides de la Sûreté provinciale, pour résoudre le mystère de ce meurtre sans queue ni tête. C'est finalement une intuition de vieux limier qui lui permet de résoudre l'énigme...

Intrigué par cette érablière plantée sur la ligne d'horizon, il décide d'y faire un tour. Dans cette cabane, au pied de la cachette de fortune utilisée par Collin le soir du meurtre, il fait une trouvaille capitale: huit mégots de cigarette, de la marque Express 333, peu commune dans la région. Ils semblent relativement frais, ce qui est fort suspect dans les circonstances, l'érablière n'ayant pas servi depuis au moins cinq ans.

Dandenault n'hésite pas une seconde : il envoie les mégots à Montréal pour analyse au laboratoire judiciaire, et se met à traquer les vendeurs d'Express 333 de la région, afin d'en identifier les acheteurs réguliers. Dans le temps de le dire, il remonte jusqu'à André Collin, qui se procure régulièrement des paquets au Ray's Restaurant, situé à Knowlton.

Collin paraît étrangement calme quand les enquêteurs lui rendent une visite préliminaire. Il fournit un compte-rendu plausible de ses allers et venues lors de la journée fatidique. Le meurtrier allait-il leur échapper ?

Dandenault, en enquêteur chevronné, remarque chez Collin deux détails troublants : une imposante bibliothèque remplie de romans policiers, et trois couteaux pendant au mur. Le détective les saisit — avec l'accord de Collin, toujours imperturbable.

L'expertise confirme qu'un de ces couteaux est bien l'arme du crime ; il appartenait à Bissonnette, et son manche est imprégné de sang humain. De plus, bon nombre de voisins témoignent avoir vu le meurtrier sur le chemin des Bissonnette le 25 avril : tous affirment qu'il s'est volatilisé à environ deux milles de la ferme de la victime.

Le lendemain, les policiers possèdent un mandat de détention à l'endroit de Collin. En arrivant chez ce dernier, ils sont accueillis par sa conjointe, hors d'elle-même : Collin a un fusil dans les mains. Il a l'air absent, hébété, comme s'il n'était déjà plus là.

Alors que Dandenault et ses collègues le somment de se rendre, une détonation retentit : André Collin s'est fait éclater la cervelle. Du sang gicle de son oreille droite et de sa bouche.

Le témoignage accablant de sa conjointe ainsi que des fouilles intensives sur les terres de Collin permettront de confirmer sans nul doute possible qu'il est l'assassin d'Henri Bissonnette. Toutefois, si le vol fut le motif principal de cet horrible meurtre, il est impossible de savoir ce qui poussa Collin à une telle sauvagerie, à un tel acharnement. L'assassin a emporté avec lui ses secrets dans la tombe...

PAPA N'A PAS TOUJOURS RAISON

COWANSVILLE, 1952

Devenir père est certes un événement qui bouleverse la vie. De nos jours, il existe une multitude de livres, de cours, voire de thérapies visant à préparer les nouveaux pères à la venue de leur enfant. Mais ces ressources n'existaient pas dans les années 1950 — encore aurait-il fallu que Kenneth Ford accepte de s'y intéresser...

En 1952, Ford travaille depuis une dizaine d'années à l'usine de textile Bruck Silk Mills de Cowansville, dans les Cantons de l'Est. Il a été promu contremaître il y a cinq ans. Aimé du grand patron, il est, selon ce dernier, compétent, assidu, ponctuel et de bonne compagnie. Ce n'est cependant pas l'avis de toutes ses employées... Certaines se plaignent de propos déplacés, de proximité gênante, de harcèlement. L'une d'elles a même dénoncé Ford au supérieur hiérarchique de celui-ci : elle devait lui accorder des faveurs sexuelles hebdomadaires, sans quoi elle perdrait son emploi ! Le patron n'a pas envie de perdre un si bon contremaître pour des allégations qui restent à prouver. Il mute plutôt la jeune fille dans un autre département.

Kenneth Ford a beau apprécier les douceurs que procurent les rapprochements corporels, il n'en redoute pas moins leurs conséquences... biologiques. Depuis que sa femme est enceinte, il s'est transformé.

En ménage, il était un homme attentionné et délicat; tout le voisinage enviait cette maisonnée calme et heureuse — en apparence. Mais récemment, il est devenu brusque. Il tient même des propos violents. Jamais il n'a eu d'enfant, et jamais il n'en aura ! Qui sait, d'ailleurs, si cet enfant n'est pas celui d'un autre homme ?

Cette histoire se déroule bien avant la lutte du Dr Morgentaler pour la légalisation de l'avortement, mais Ford demande au médecin de sa femme de l'avorter. Il refuse : Norma Ford désire garder son bébé ! Kenneth est furieux. D'autant plus que la jeune femme a un début de grossesse difficile. Elle se sent faible et étourdie. Souvent, sa mère vient passer de longs séjours afin de l'aider dans les tâches ménagères. Il arrive même que Norma doive rester alitée le matin et que son mari et sa mère lui servent le petit-déjeuner au lit.

Le 8 février 1952, Ford rentre souper chez lui après le travail, comme à l'habitude. Puis, il va prendre un café au restaurant qui fait face à l'hôtel de Cowansville. Il ira patiner à l'anneau de glace municipal en compagnie de trois de ses jeunes employées. Il retourne au restaurant avec elles, où ils discutent du travail en grignotant un morceau. Le moment est venu de rentrer. Mais un ami passe et l'invite à boire un verre chez lui. Ford ne boit pas souvent, et peu, d'ailleurs... mais pourquoi pas ?

Il rentre vers 2 h du matin. Les lumières de la maison sont toujours allumées; sa femme, inquiète, n'est pas allée se couchée. Kenneth enfile son pyjama et ses pantoufles. Le ton monte une nouvelle fois au sujet de l'enfant, et Kenneth entre dans une de ses colères noires, auxquelles est tristement habituée Norma. Et si cet enfant était illégitime ? Et lui, n'aurait-il pas une relation extraconjugale avec une de ses employées ? La dispute le fait sortir de ses gonds, puis de la chambre : il va au hangar, revient avec une barre de fer. Norma, elle, se fait couler un bain. Elle veut tenter de relaxer après la querelle.

Kenneth entre sans bruit dans la salle de bain. De toutes ses forces, il frappe sa femme derrière la tête, à deux reprises. L'objet contondant creuse deux profondes entailles dans son cuir chevelu. Elle s'évanouit sur-le-champ et s'enfonce dans l'eau, qui prend la teinte du sang. Norma se noie aussitôt. Ford lance la savonnette dans le bain afin que les enquêteurs croient que sa femme a glissé en montant dans la baignoire, et qu'elle s'est fracassé la tête sur le robinet... à deux reprises.

Il est 3 h du matin. Le temps est venu de jouer la comédie en public. Kenneth appelle un pasteur et un médecin. Il leur explique qu'il a fait la macabre découverte en rentrant de sa soirée. Des policiers municipaux sont dépêchés sur les lieux. Ils trouvent Kenneth Ford hors de lui, dans un état second qui alterne entre la panique et le profond abattement. Il n'est pas en mesure de collaborer avec eux... Mais lorsqu'il retrouve son calme, ce sont des policiers de la Sûreté provinciale du Québec qui sont là.

Il fallait être naïf pour penser que la thèse de l'accident serait si facilement acceptée. L'autopsie de Norma Ford prouve que les entailles dans son cuir chevelu n'ont pu être faites par le robinet de la baignoire.

De fait, Ford n'inspire pas du tout confiance aux enquêteurs. Ils le suivent de près et, lorsqu'ils découvrent un revolver dans sa voiture, décident qu'il est mûr pour un interrogatoire serré. Ils l'amènent au quartier général de la Sûreté provinciale à Montréal, où ils le cuisinent durant des heures, avant de lui faire passer le test du polygraphe, qu'il échoue. Ford n'a d'autre choix que d'avouer son crime. Il signe une déclaration d'aveux et indique aux policiers l'emplacement de l'arme : la barre de fer porte encore des traces de sang, et les profondes entailles faites dans la tête de Norma correspondent exactement à sa forme.

Ce soir-là, dans la cellule du quartier général, Kenneth Ford tente de se suicider, mais il survit aux multiples coupures qu'il s'inflige sur le torse et au cou.

Malgré la culpabilité avouée de son client, l'avocat de la défense fera un travail exceptionnel. Il fait valoir que Ford a toujours souffert d'avoir été un enfant illégitime, et que l'angoisse de la paternité a provoqué une psychose, durant laquelle il a commis des actes dont il n'est pas responsable. La défense prétend également que les aveux lui ont été arrachés par les policiers alors qu'il était encore sous le choc du décès de sa femme ; on lui aurait promis une permission pour retourner chez lui s'il avouait tout...

Rien de tout cela n'est reçu par la Cour. Les renvois en cour d'appel et suspensions de procédures ne font que repousser l'inévitable : Kenneth Ford est condamné à la mort par pendaison. Il pendra durant 13 longues minutes au bout de la corde, se tortillant comme un ver de terre sur un hameçon, avant d'expirer, le 30 octobre 1953.

Plusieurs rumeurs ont couru après sa mort. Certains l'ont surnommé le « Barbe bleue du Québec », insinuant qu'il avait réussi à se débarrasser de ses jeunes amoureuses non pas une, ni deux, mais trois fois auparavant ! Sa première copine, âgée de 18 ans, serait morte noyée durant un voyage de pêche en sa compagnie ; la deuxième, avec qui il vivait en concubinage, serait décédée après une vilaine chute dans les escaliers de leur maison ; la troisième, avec qui il aurait emménagé à Knowlton, dans les Cantons de l'Est, aurait péri dans un accident de voiture. Selon ces rumeurs, ces quatre femmes auraient toutes été enceintes au moment des drames ! Bien entendu, rien de tout cela n'est prouvé...

Un autre on-dit, moins exagéré mais tout de même étonnant, raconte qu'une première conjointe de Ford serait elle aussi morte noyée dans son bain, après avoir glissé sur une savonnette et s'être fracturé le crâne sur le robinet. Ford aurait-il tenté de répéter avec Norma un premier crime parfait ?

UNE MORT QUI EN CACHE UNE AUTRE

MONTRÉAL, 1952

Qui aurait pu en vouloir à Rita Genest ? Réservée, tranquille, elle aimait rester chez elle et se coucher tôt. Avec son mari Roland, qui avait la bougeotte et sortait beaucoup, elle semblait filer un bonheur sans histoire. Le couple était un exemple réussi d'attraction des contraires : chacun en paix dans ses habitudes, même si celles de l'un étaient à l'opposé de celles de l'autre. Ils étaient mariés depuis quatre ans.

Le 29 mai 1952, jour de la tragédie, les pompiers maîtrisent un incendie de matelas dans leur logis de la rue Gascon, à Montréal. Or, après un examen rapide, la scène ne correspond pas au cas routinier de la cigarette oubliée par un fumeur négligent. Le corps retrouvé sur les lieux présente des fractures au crâne, mais aucun signe de lutte. Vraisemblablement, quelqu'un est entré dans la maison et a profité du sommeil de Rita pour l'attaquer, avant d'asperger le matelas de gazoline et d'y mettre le feu. Aucun objet, aucune somme d'argent n'a été volé.

Mais qui en voulait donc ainsi à Rita Genest ?

Rentré un peu plus tard qu'à l'habitude, Roland apprend l'horrible nouvelle vers minuit. Il vient de passer la soirée avec son beau-frère, avec qui il a assisté à un match de baseball avant d'aller jouer au bingo. La police n'a pas le choix de s'incliner devant l'alibi que présente son suspect numéro un : on relâche Roland le lendemain du drame. L'énigme reste entière.

*

Rita, la tranquille Rita qui ne faisait jamais de manières… C'est peut-être à elle que Roland pense quelques mois plus tard au volant de sa voiture déglinguée, en cette nuit du 19 février 1953. Il déambule sans but précis avant de suivre un panneau indiquant « L'Île-Bizard ». À l'orée d'un bois, il s'arrête, retire de son coffre le cadavre nu et poignardé d'une jeune fille défigurée, qu'il transporte sur une centaine de mètres avant de le déposer dans la neige. Il repart. Il lui reste à se débarrasser de pas mal de choses. Il les éparpillera çà et là.

Quelle drôle de vie il a menée depuis la mort de sa femme ! Avec Rita, les choses étaient simples : il sortait ; elle restait à la maison. Et il avait un travail… Décidément, on ne se rend compte de ce qu'on a seulement lorsqu'on l'a perdu, se dit-il avant de prier le bon Dieu (ou le diable ?) de ne pas faire flancher sa voiture en plein cœur de la nuit.

*

Dès le matin, un fermier de L'Île-Bizard et son fils, inquiétés par un vol de corneilles, découvrent le cadavre nu et glacé. La police provinciale est mise sur l'affaire.

L'autopsie révèle qu'il s'agit du corps d'une jeune femme de 23 ans, sauvagement agressée. Elle porte au crâne les marques de plusieurs coups de bâton. Une trentaine de coups de couteau lui ont été assénés à la poitrine et à la gorge ; l'un d'eux lui a même crevé un œil.

L'identification du corps pose problème au lieutenant-détective Urbain Legault : ses empreintes ne sont pas fichées, et la jeune femme ne porte aucun bijou. On fait donc circuler dans les journaux une photographie du masque mortuaire de la victime.

Bientôt, plus d'une centaine de curieux et d'individus inquiétés par la disparition d'un proche circulent à la morgue municipale de la rue Saint-Vincent. Les choses piétinent quelques jours, jusqu'à ce que trois femmes se présentant comme la mère et les sœurs d'une certaine Marie-Paule Langlais reconnaissent le cadavre.

Jeune fille au tempérament fougueux, Marie-Paule a quitté la maison familiale depuis deux ans, laissant sa mère sans nouvelles. Elle a emménagé avenue De Lorimier avec un homme qu'elle fréquentait depuis trois ans. Il s'appelait Roland Genest.

Alertée par ce nom familier, la police tâche de cueillir le suspect à son logement puis au garage qu'il a acheté, rue des Épinettes. C'est chez son père que Roland est finalement arrêté. Le premier interrogatoire, mené le jour même, ne donne rien. Mais lors d'un interrogatoire nocturne (au cours duquel Genest prétendra plus tard avoir été battu), le suspect révèle à la police qu'il a tué Marie-Paule Langlais parce que celle-ci avait assassiné sa femme...

*

Marie-Paule se promenait à bicyclette, revenant de la manufacture où elle venait de commencer à travailler, quand elle a rencontré le jeune homme pour la première fois. Il lui avait fait la cour; elle n'avait pas refusé ses avances. Le coup de foudre avait été si fort et soudain qu'elle romprait en secret ses fiançailles avec un honnête garçon. Genest avait beau ne pas inspirer confiance à sa famille, il était maintenant son élu. Ses goûts s'accordaient bien à ceux de Marie-Paule. Jeune et jolie, elle aimait sortir danser et faire du patin à roulettes. Mais elle était aussi entêtée et susceptible, prompte à se disputer pour un rien — elle redevenait ensuite tendre, comme si rien n'était arrivé.

On imagine l'émotion de Marie-Paule lorsqu'elle apprend que l'homme qu'elle fréquente depuis quelques mois est en réalité un homme marié. Dès lors, ses sautes d'humeur se produisent avec une intensité et une fréquence redoublées. C'est d'ailleurs par cela que commencent les aveux que Roland signe le 25 février 1953: « J'avais souvent des discussions très violentes avec [elle], et, une fois, je lui ai sauté à la gorge. La plupart de ces discussions avaient lieu à cause de ma femme. » Et Roland d'ajouter, sans équivoque: « J'ai [alors] décidé un jour d'aider Marie-Paule à tuer ma femme. »

On ne sait pas qui, de la maîtresse trahie que la fureur portait à vouloir éliminer sa rivale, ou de l'amant qui souhaitait en finir avec les disputes, a prononcé le verbe *tuer* en premier. Chose certaine, Roland rédige le scénario du meurtre avec un sang-froid minutieux. Soutenu par une maîtresse prête à passer aux actes, il se construit un alibi du tonnerre. Puis il se procure une barre de fer et un bidon de gazoline, qu'il confie à sa maîtresse avec les clés du logis : pendant qu'il s'amuse avec son beau-frère, Marie-Paule accomplit la sinistre besogne sans se faire remarquer.

*

Dans les mois qui suivent, le couple garde un profil bas, histoire de ne pas attirer les soupçons. Des 1000 $ versés par les assureurs pour la mort de sa femme, Roland en partage la moitié avec la mère de la victime, que ce geste émeut beaucoup. Après s'être s'occupé des funérailles, il ne lui reste que 200 $. Ce n'est que neuf mois après les événements qu'il part en ménage avec Marie-Paule dans le logement de l'avenue De Lorimier. Une certaine Rosa Lambert, qui les avait hébergés quelques mois plus tôt, se souviendra, lors de l'enquête, de l'étrange dynamique de ce couple, dont les réconciliations semblent aussi fréquentes que leurs disputes sont spectaculaires.

Roland a abandonné son travail peu après la mort de Rita. Il vole de temps à autre. Les sorties du couple sont moins fréquentes : la routine s'est installée, la misère est apparue. Seule Marie-Paule, employée dans une manufacture de biscuits, gagne un maigre revenu pendant que Roland, dans le garage qu'il a acheté à des lieues de chez lui, s'escrime à rafistoler sa voiture. Il n'aime plus autant sa Marie-Paule, qui, hantée par son crime, le lui rend bien en le menaçant de tout avouer s'il la quitte. Et c'est ainsi que le 19 février 1953, il va la chercher à la sortie de l'usine afin — prétend-il — qu'elle l'aide à laver sa voiture au garage. Marie-Paule n'en ressortira pas vivante.

*

Tout va très vite dès que Roland prend la décision de passer aux aveux. Docile, il aide la police à retrouver les preuves de son crime, qu'il a éparpillées de Rawdon à Notre-Dame-de-Grâce : le bâton et le couteau du crime, la toile qui a servi à transporter le corps, les bagues de Marie-Paule, qu'il a cachées pour retarder son identification... L'assassinat dans le garage ? Il maintiendra jusqu'à la fin de son procès qu'il avait simplement cherché à se défendre des attaques de Marie-Paule. Qu'il lui a arraché le bâton de baseball des mains et que, pris d'un accès de fureur, il l'a frappée, de la même manière qu'elle avait rompu le crâne de Rita. Les 32 coups de couteau constituent cependant la touche toute personnelle de Roland...

Officiellement, Roland Genest comparaît à son procès sous un seul chef d'accusation : celui du meurtre de Marie-Paule. Mais ses propos en cour sonnent comme un double aveu, la barbarie de son meurtre se liant indissociablement à la mort de sa femme. Cela est suffisant pour convaincre les jurés qu'il a bien eu l'intention, en tuant Marie-Paule, de se débarrasser d'un témoin.

Devant un public estomaqué, Genest raconte son histoire d'un ton impassible, jusqu'à l'énoncé du verdict qui le condamne à mourir. Ce faisant, il affiche une attitude similaire à celle de nombreux tueurs en série, à qui la commotion provoquée par leur témoignage procure une sensation de jouissance : celle d'avoir un jour été tout-puissant. Après tout, si Marie-Paule n'avait pas menacé de révéler ce qu'elle savait, Roland Genest serait demeuré l'architecte d'un crime parfait, et Marie-Paule, son exécutante anonyme. La vie aurait été si simple.

Résigné à son sort — il ne porte pas le jugement en appel —, Genest est pendu à la prison de Bordeaux le 28 août 1953. Il n'a pas encore 30 ans.

L'IVRESSE, OUI. MAIS PAS CELLE DE LA VICTOIRE...

MONTRÉAL, 1953

Tout le monde sait qu'à Montréal, il n'y a pas que des hôtels de luxe. S'y trouvent aussi bon nombre d'hôtels de... luxure. Les premiers ont normalement une architecture recherchée et une décoration de bon goût ; les seconds, quant à eux, ont une allure peu invitante — sans l'affiche informant les passants des chambres vacantes, on pourrait penser qu'il s'agit d'usines désaffectées.

L'hôtel Capitol est un bloc brun sans attrait. Sis à l'intersection de l'avenue Van Horne et de l'avenue du Parc, soit au détour d'un viaduc, il est mal situé, loin du centre-ville. Son voisin est une fabrique de tissus aux vitres endommagées. Peu de touristes ici, donc. On y trouve surtout des couples pressés, qui cherchent une chambre pas chère, pour quelques heures tout au plus...

Malgré ce portrait peu flatteur, les affaires sont bonnes pour les propriétaires du Capitol, Marcel de Grandchamps, 41 ans, et sa femme Rachel, née Michaud, 42 ans. La trentaine de chambres est occupée presque tous les soirs, et le restaurant a un bon roulement.

Le couple n'est pas heureux pour autant : Marcel a un sévère problème d'alcool. Il arrive qu'il sème lui-même la pagaille dans la salle à manger de l'hôtel. Lorsqu'il est sous l'emprise de la boisson — c'est-à-dire tout le temps —, il est violent et tient des propos menaçants envers sa femme. La situation est telle qu'après que Rachel se soit plainte à la police, Marcel est interdit d'accès à l'hôtel durant quatre mois, au début de l'année 1953. Quatre mois durant lesquels Rachel maintient les affaires seules, habitant dans la chambre nº 3, au deuxième étage de l'hôtel. À la maison, Marcel continue de boire comme un trou, faisant la vie dure à leurs deux adolescents, un garçon de 15 ans et une fille de 17 ans.

À la fin de mars, Marcel convainc sa femme de le laisser revenir à l'hôtel, et il s'installe aussi dans la chambre nº 3. Il passe toujours ses journées à boire, et le 8 avril 1953 ne fait pas exception à la règle. Arrivé à l'hôtel vers 20 h 30, il s'enferme dans son bureau et s'enfile des ryes sans glace. Lorsque sa femme revient de la messe, il l'accompagne aux cuisines pour manger un morceau et faire le ménage. Il retourne ensuite au bureau et se remet à boire. Rachel monte se coucher.

Thérèse Labelle, la femme de chambre, vient rejoindre le propriétaire dans le bureau pour tuer l'ennui. Pendant qu'ils regardent les finales de la coupe Stanley, Marcel fait des confidences à Thérèse : il est malheureux et en a assez de la vie qu'il mène. Il veut en finir.

Il sort de l'hôtel vers 2 h du matin et revient avec un revolver, qu'il lui montre. Il lui demande de recoudre un bouton à sa chemise : « Je vais mourir dans cette chemise-là », lui affirme-t-il gravement. Thérèse connaît bien son patron. C'est un mou et un peureux, qui parle fort mais n'agit pas... Les promesses d'ivrogne, c'est sa spécialité !

Marcel continue à boire, en compagnie de trois amis, arrivés complètement saouls à l'hôtel vers 4 h. À 4 h 45, il monte l'escalier en titubant. Il entre dans la chambre nº 3 et réveille son épouse. Une querelle éclate. Le mari dégaine alors son Iver Johnson de calibre .32 et tire sur sa femme à bout portant, alors qu'elle a le dos tourné. Le projectile transperce le poumon gauche de Rachel, déchire son diaphragme et son foie.

Le regard plein de haine, Marcel se penche sur sa femme, qui s'est effondrée sur le lit. Pourquoi l'a-t-elle dénoncé à la police ? Il veut l'achever. Marcel pointe son arme sur le cœur de Rachel. Dans un ultime effort pour se protéger, elle avance la main et tente de lui arracher l'arme. Mais elle n'a plus de force, et il est trop loin. Il tire : la balle fracasse le majeur de Rachel, lui transperce la paume, traverse son cœur et son poumon gauche, avant de s'immobiliser entre deux côtes, si près de la peau que sur la table d'autopsie, les médecins verront une bosse en forme de projectile pointer sous un de ses seins...

Thérèse a entendu les coups de feu. Comment a-t-il pu...! Impossible ! Pendant que des clients de l'hôtel cherchent à fuir, la femme de ménage monte les marches quatre à quatre. Elle se bute à une porte verrouillée. « Entre pas ici ! », lui crie Marcel de la chambre. Mais Thérèse possède un passe-partout et ouvre la porte.

La scène est pénible à voir. Sur le lit, Rachel se tord de douleur, la poitrine et la main ensanglantées. Marcel est affalé sur le lit, hagard. Il pointe le cadre de fenêtre, où il a déposé le fusil. Elle imbibe un linge d'eau pour nettoyer les plaies de l'hôtelière, qui souffre un martyr effroyable. Marcel sait qu'il est coincé. Il appelle lui-même la police, ainsi qu'un curé.

Le curé est sur les lieux rapidement. Il donne l'extrême-onction à la pauvre femme, qui n'en a plus pour longtemps. Lorsque deux policiers poussent la porte, armes au poing, Marcel les accueille ainsi : «C'est moi qui l'ai tirée, et je suis fâché de l'avoir manquée !» Oui, Rachel est toujours en vie. Mais dès son arrivée à l'hôpital Saint-Luc, elle succombera à ses blessures.

Lorsque deux policiers sortent dans l'avenue Van Horne, encadrant un homme corpulent, portant moustache et chapeau, menotté dans le dos, les passants croient qu'on vient de mettre la main au collet d'un gangster. Ce n'est pourtant qu'un malheureux alcoolique qui a eu l'esprit assez embrumé par la boisson pour croire que son sort s'améliorerait s'il assassinait sa femme...

Laurier de Grandchamps, le fils de 15 ans, a la triste responsabilité d'identifier le cadavre de sa mère. Étourdi par son deuil et par l'horreur de savoir son père coupable, il ne pourra célébrer la victoire avec les autres Montréalais... Quelques jours plus tard, le 16 avril, Elmer Lach, sur une passe de Maurice Richard, compte en période de prolongation : le Canadien remporte la coupe Stanley.

LA JUSTICE AU BANC DES ACCUSÉS

GASPÉ, 1955

Six septembre 1955. Wilbert Coffin s'évade de la prison de Québec après avoir surpris ses gardiens avec une imitation de revolver, fabriquée avec du savon. Ces derniers le laissent sortir sans s'interposer; l'un d'eux lui confie même son trousseau de clés... Dans sa cellule, Coffin a laissé une lettre adressée au gouverneur, où il s'excuse pour son geste et répète qu'il est innocent. Il monte à bord d'un taxi et, avec sa bonne humeur naturelle, montre au chauffeur le faux revolver qui l'a libéré. « Regardez comme je suis dangereux », blague-t-il...

Le temps n'est pourtant pas à la blague. Cela fait déjà un an que Wilbert Coffin a été jugé responsable du meurtre de trois chasseurs américains.

*

Le 5 juin 1953, Eugene Lindsay, petit homme d'affaires et usurier, son fils Richard (17 ans) et un ami, Frederick Claar (19 ans), quittent la ville de Johannesburg, en Pennsylvanie, pour aller chasser l'ours dans les environs de Gaspé. Ils y trouvent la mort dans des circonstances mystérieuses. À partir de preuves assez minces, Wilbert Coffin est jugé coupable du crime devant le petit tribunal de Gaspé. Une ronde tortueuse de requêtes en appel va alors commencer. En effet, Me Gravel, un des assistants de l'avocat chargé de défendre Coffin, est loin de trouver que le procès de son client a été juste. Colligeant de nouveaux éléments de preuve, il s'acharne à faire reporter la cause, déjà célèbre, vers les plus hautes instances de la cour fédérale, pendant que la date de l'exécution de Coffin ne cesse d'être reportée.

C'est sans doute chez Me Gravel que Coffin aurait espéré aller le jour de son évasion. Mais, sachant qu'il n'y serait pas, il se rend plutôt chez son ancien avocat, Me Maher. Celui-ci l'enjoint formellement de retourner en prison. Son évasion ne passerait-elle pas pour un aveu de culpabilité ? Touché à vif par l'argument, l'évadé s'incline et regagne docilement sa cellule, mettant un terme aux dernières heures de liberté que connaîtra son existence.

*

Wilbert Coffin est le dernier à avoir vu les trois chasseurs vivants. Le 10 juin 1953, le prospecteur, de passage en Gaspésie pour inspecter quelques-unes de ses concessions minières, arrête la camionnette que lui a prêtée son ami Bill Baker afin de porter secours à trois Américains immobilisés par une panne en forêt. Coffin emmène le fils de Lindsay chez un garagiste pour que celui-ci se procure une pompe à essence. Il raconte qu'à son retour au campement, il trouve Eugene Lindsay et Claar en compagnie de deux autres chasseurs, des hommes dans la trentaine conduisant une Jeep immatriculée aux États-Unis. Ces deux individus, vers lesquels Coffin tâchera d'attirer l'attention de la loi, ne seront jamais retracés.

Les chasseurs et le prospecteur ont sans doute bu avant de se dire au revoir, comme il est coutume de le faire à la chasse. Coffin leur promet de passer au campement au retour de ses inspections, au cas où ils auraient encore besoin de son aide. Le 12 juin, il tient promesse, mais il ne retrouve que leur camionnette. Personne dans les environs. Il attend les chasseurs, le temps d'alléger leur véhicule de quelques bouteilles, puis reprend la route pour Montréal, où l'attend Marion Petrie, son amie de cœur.

Le récit de son voyage serait simplement loufoque s'il n'était pas aussi incriminant. À une époque où la loi ne trouve rien à redire contre l'alcool au volant, il est courant de s'enfiler quelques verres « pour la route », et même de se resservir en chemin. Ce jour-là, Coffin a l'ivresse particulièrement heureuse. Il paie des tournées générales, prodigue des pourboires consistants, remercie — à coup de billets de 5 $ et de 10 $ — ceux qui le tirent des embardées provoquées par sa conduite en état d'ivresse. Il en profite aussi pour rembourser des dettes à ses créditeurs, souvent en coupures américaines. Au procès, bien des témoins se rappelleront ce Coffin au portefeuille garni et à l'ébriété généreuse. D'où venait donc tout cet argent ?

*

Les trois chasseurs n'avaient pas prévu s'absenter plus d'une quinzaine de jours. Après trois semaines, rongées par l'inquiétude, leurs familles avertissent la police provinciale et celle de Pennsylvanie de leur disparition. Les recherches commencent le 5 juillet 1953. Le 10, la camionnette des chasseurs est retrouvée ; le 15, on découvre le corps en décomposition d'Eugène Lindsay, mystérieusement décapité, et son portefeuille — qu'il aimait bourrer de centaines de dollars où qu'il aille —, complètement vide. Une semaine plus tard, ce sont les corps de Richard Lindsay et de Frederick Claar que l'on découvre. Ils sont presque réduits à l'état d'ossements dispersés, grugés par les ours.

Il est pourtant peu probable que les chasseurs se soient perdus en forêt avant de se faire attaquer par des ours. Pour y avoir chassé plus d'une fois, Eugene Lindsay connaît bien la brousse gaspésienne : il sait s'y retrouver. Les ours — qui attaquent rarement les humains — n'auraient pas eu facilement le dessus sur ce chasseur solidement armé. Des traces de balles sur les vêtements dispersés des victimes et une carabine trouvée près d'un cadavre, à la crosse de laquelle pend un bout de cuir chevelu, autorisent plutôt le coroner Lionel Rioux à déclarer qu'on a assassiné les chasseurs.

C'est un véritable branle-bas de combat qui s'engage dans l'opinion publique et politique, des deux côtés de la frontière. Les échos se font entendre jusque chez le gouvernement de Maurice Duplessis, qui subit la pression du State Department américain : il faut que l'enquête soit conclue, avec des résultats aussi convaincants que rapides. C'est du moins ce qu'un représentant du « cheuf » promet à ses homologues américains pour calmer le jeu. Aussi, quand Coffin retourne à Gaspé le 21 juillet afin de continuer ses prospections, il est vite happé dans l'engrenage de ce fait divers qui s'avère sur le point de tourner en crise diplomatique. Il participe d'abord aux recherches, avant d'être arrêté par le capitaine Matte de la police provinciale, qui le désigne comme son principal suspect.

*

Pour un cas qu'on souhaitait voir réglé en un clin d'œil, l'affaire Coffin durera longtemps. L'instruction du procès ne commence que le 12 juillet 1954, onze mois après l'accusation. Pour affronter la rhétorique flamboyante des procureurs de la Couronne, Noël Dorion et surtout Paul Miquelon, les espoirs de Coffin reposent sur les « talents » de Me Raymond Maher, qui ne passe pas pour un avocat spécialement futé. Maher croit-il seulement en l'innocence de son client ? Alors que l'accusation fait défiler des dizaines de témoins circonstanciels et que Miquelon impressionne les jurés avec ses déclarations flamboyantes (« Trouvez-moi le voleur et je vous trouverai l'assassin ! »), Maher déconseille à Coffin de prendre la parole en cour pour se défendre. À la stupéfaction générale, il ne soumet aucune preuve en la faveur de son client. Le jury ne délibère qu'une demi-heure avant de prononcer son verdict, interprétant le silence de Coffin comme une preuve de sa culpabilité.

*

C'est après avoir obtenu six sursis que, le 10 février 1956, Coffin meurt pendu à la prison de Bordeaux, non sans avoir soutenu une dernière fois qu'il était innocent. Les requêtes du Me François Gravel, qui est allé jusqu'à s'adresser au ministre de la Justice du Canada pour porter la cause en appel, se sont donc toutes révélées vaines. Pour de nombreuses personnes présentes au procès, dont le journaliste John Edward Belliveau du *Toronto Star*, le procès de Coffin n'a pas été juste. Cependant, les procès rouverts en appel ne peuvent tenir compte d'éléments de preuve apportés après le procès original.

Après le premier verdict, un témoin nuance son témoignage, dans lequel il prétendait avoir vu l'arme du crime dépasser du coffre de la camionnette de Coffin : ce canon de carabine n'était peut-être qu'une barre de fer, après tout... De plus, dans une déposition assermentée qu'il fait en prison, Coffin relate enfin sa propre version des événements, en expliquant en détail la provenance de son argent. Il parle également de ces deux chasseurs en Jeep avec qui il aurait vu Claar et Eugene Lindsay. Rien de cela ne convainc les tribunaux supérieurs. Quand Coffin demande, quelques jours avant sa mort, de légitimer son union avec Marion Petrie par les liens du mariage, le premier ministre Duplessis, que cette affaire n'a cessé d'irriter, s'y oppose personnellement — un geste d'une mauvaise foi encore jamais vue de la part du « cheuf »...

*

Si le temps parvient à résoudre certains mystères, il y en a d'autres, au contraire, qui ne cessent de s'épaissir. De nouveaux témoignages, de nouvelles théories s'ajoutent aux précédentes, ranimant d'anciennes controverses qu'elles rendent encore plus complexes. Ainsi, dans les 50 années qui suivront, bien des gens tenteront d'avoir le dernier mot sur l'affaire Coffin...

En 1958, Francis Gilbert Thomson, un Mohawk de Saint-Régis arrêté à Miami pour vol, prétend être l'auteur des meurtres. Il récusera son témoignage — pourtant riche en détails — à peine quelques jours après avoir « avoué ». Peu après que Me Gravel ait fondé le Comité de réhabilitation de Wilbert Coffin, John E. Belliveau et surtout Jacques Hébert, fondateur du journal *Vrai* et adversaire convaincu de la peine de mort, publient des ouvrages questionnant de façon polémique les irrégularités du procès, et défendront l'innocence de Coffin. En 1963, le gouvernement Lesage institue une commission d'enquête sur l'affaire (la Commission d'enquête Brossard), mais juge convaincante la thèse de la culpabilité. En 1979, l'ancien gardien de Coffin à Bordeaux prétend dans un livre que l'accusé en savait long sur la mort des chasseurs et l'identité du coupable. En 1988, un ancien résident de Gaspé se prétend l'auteur des meurtres ; la fausseté de son témoignage sera facilement prouvée. En 1996, un certain Alton Price publie à ses frais un livre où il prétend connaître l'assassin. Le 2 août 2004, l'ancien coroner Lionel Rioux, 87 ans, suppose à mots couverts que Bill Baker, le grand ami de Coffin, retrouvé mort à peine 17 jours après la pendaison de ce dernier, aurait été le vrai auteur des meurtres. Deux ans passent et c'est un autre suspect, Philippe Cabot, qui sera désigné par des membres de la famille comme le vrai meurtrier...

Plus l'affaire prend de l'âge, moins elle paraît concluante. Il n'y a rien comme un crime irrésolu pour emballer l'imagination ! Si la justice telle que le gouvernement Duplessis l'a administrée dans cette affaire contribua à l'abolition de la peine de mort au Québec, il reste possible — mais pas certain — que ce pas en avant ait été gagné au prix du sang d'un innocent.

ROMÉO, LE TUEUR DE LA SAINT-VALENTIN

SHERBROOKE, 1956

Difficile d'imaginer une scène plus banale: Carmen Drapeau, née Boudreau, prépare le déjeuner de sa famille en cette veille de la Saint-Valentin de 1956. Le temps est doux, légèrement couvert. Dehors, les cottages du nouveau quartier résidentiel de la ville de Sherbrooke sont recouverts de neige.

Le petit monde de Carmen s'affaire comme à l'habitude. Ses deux plus vieux, Claude et Pierre, se préparent pour l'école. Michelle est en pyjama et babille dans la salle à manger. Sylvie, la petite dernière, émet de temps à autre un cri de faim depuis sa chaise haute. Quant à Roméo, son mari, il s'est levé avec un air sombre et n'est toujours pas descendu de l'étage de la maison sise au 159, 7e avenue Sud. Carmen fronce les sourcils. Il est bien morose, depuis quelque temps. Toujours à récriminer contre son travail, à se plaindre aux voisins de la fatigue. Et cette face de carême qu'il affiche en permanence depuis des semaines... Quelque chose cloche. Pourtant, il vient tout juste de changer d'emploi, et il a déjà réussi à obtenir une augmentation de salaire. Bon, 85 $ par semaine, ce n'est pas le Pérou, mais c'est suffisant... Est-ce l'approche de la quarantaine qui lui pèse tant ?

Carmen se passe distraitement la main sur le ventre. Il faudrait que cet enfant-là soit le dernier. À 38 ans, elle n'est plus toute jeune... Mais chaque fois qu'elle aborde la question avec son homme, il prend un air renfrogné et évoque le devoir conjugal. Carmen connaît son catéchisme, mais il faut voir la réalité en face, même quand on marie le frère d'un prêtre...

Mais que peut-il bien faire ? Il va manquer son autobus, qui passe à 8 h 03 précises.

*

Ce qui se produit ensuite a de quoi faire frémir les cœurs les plus endurcis. Armé d'un marteau et d'un couteau, Roméo s'avance vers sa femme dans la cuisine. Il la bat sauvagement. Sous la violence de l'attaque, Carmen s'écroule devant le four. Les coups pleuvent avec une rage inouïe, et elle ne peut que crier, se rendant à peine compte de ce qui est en train de se passer. Jamais elle n'a été battue : Roméo est tout sauf un époux violent.

Carmen n'aura pas d'explications pour cette attaque si brutale et sans motifs, puisqu'elle succombe, tout comme l'enfant qu'elle porte, sur le plancher de la cuisine. Mutilés au couteau.

Épouvantés par les hurlements de leur mère et de la petite Sylvie, les deux aînés mettent un instant à sortir de leur torpeur. Ce n'est que lorsque le tueur se dirige vers eux qu'ils courent se réfugier dans une des chambres à coucher, abandonnant Michelle sur sa chaise, tétanisée.

La fillette de 5 ans regarde son père s'approcher d'elle. Ses vêtements sont éclaboussés du sang de sa mère. Elle a peur. Papa doit être très, très fâché contre maman, qui n'a jamais crié comme elle vient de l'entendre crier. Maintenant, maman est étendue devant le four et ne fait plus un bruit. Papa est tout raide. Elle ne reconnaît pas son visage. Il est fâché contre elle aussi. Qu'est-ce qu'elle a bien pu faire pour le mettre dans un tel état ? Pourquoi est-ce que maman ne bouge plus ?

Michelle ne pousse qu'un seul cri, aigu. Le marteau s'abat sur elle. Le père frappe trois ou quatre fois. Défonce facilement le petit crâne.

Roméo, un comptable morose, est devenu un ogre impitoyable.

Il se tourne vers la plus jeune des fillettes. Elle hurle, partagée entre la terreur, l'incompréhension et la faim. Possédé par une fureur inhumaine, le père met fin à la courte vie de Sylvie, complètement impuissante du haut de ses 11 mois.

Il part maintenant à la recherche de ses deux derniers enfants. Les garçons ont tenté de se dissimuler dans une des chambres, confus et terrorisés. Est-ce bien leur père qui s'acharne ainsi sur leurs sœurs ? Les cris ont cessé subitement, ont laissé place à un silence plus lugubre encore.

Roméo s'arrête à l'entrée de la pièce. Sa carrure familière suscite un effroi comme les deux garçons n'en ont jamais connu. L'aîné, Claude, qui se tient sur le seuil de la porte, tente de supplier son père, mais seul un croassement sort de sa gorge : « Papa... » Il est terrassé par le marteau. Le forcené se dirige ensuite vers Pierre, l'élimine à son tour.

Le massacre est terminé. La petite famille gît dans son sang, chaque victime à l'endroit même où le monstre s'en est pris à elle.

Revenant partiellement à ses sens, Roméo commence à mesurer l'ampleur de la situation, ou, du moins, ses conséquences immédiates. Il se nettoie. Essaie de mettre le feu à la maison. Sans vérifier si l'incendie a bien pris, il sort à pied et se dirige vers le centre-ville. Sur le pont Aylmer, il hèle un taxi et demande de se faire conduire à Waterloo, municipalité située à une trentaine de kilomètres. Il est environ 9 h. Le chauffeur, qui trouve que le comptable a une attitude étrange, s'arrête en chemin à l'hôtel Union de Magog pour parler à son beau-frère, copropriétaire de l'endroit.

Commence alors la folle escapade du forcené. Profitant d'un moment où le chauffeur est hors de vue, Roméo s'empare du véhicule et part en trombe vers Waterloo. Il ne sait plus à quel saint se vouer. Il a, en vain, tenté de joindre son frère au téléphone. Il se dirige vers l'église pour se confesser au premier curé qu'il trouve, en l'occurrence Mgr Hermann Hébert. Celui-ci contacte le révérend Léon Boudreau, qui appelle à son tour les forces de l'ordre, tout en acceptant d'héberger le criminel au presbytère.

C'est là que l'homme en cavale est appréhendé par la Sûreté provinciale, qui l'escorte vers Sherbrooke en tant que « témoin important » : à l'époque, aucune accusation ne peut être portée contre quelqu'un avant l'enquête du coroner.

Selon les journaux, Roméo Drapeau a fait des aveux complets. Toutefois, les motifs de ce carnage restent à ce jour inconnus, le malheureux ne pouvant expliquer son geste autrement qu'en se disant possédé par le diable. Des ennuis d'argent et des prédispositions à la maladie mentale (l'homme avait déjà été interné un mois à la suite d'une importante dépression nerveuse) semblent l'avoir précipité dans cette folie meurtrière.

Entre-temps, la cérémonie funéraire, et l'inhumation de Carmen Boudreau et de ses quatre enfants ont lieu. Le 15 février, 26 000 personnes défilent devant les cercueils des victimes, exposées au salon funéraire Duranleau et Jalbert. Les corps sont mis en terre le lendemain, côte à côte, au cimetière Saint-Michel.

Désespéré, Drapeau tente une évasion du Palais de justice de Sherbrooke lors de sa comparution devant le juge Hayes, le 18 février 1956. Profitant du fait qu'on le laisse aller aux toilettes sans surveillance, il saute tête première par la fenêtre et tombe du premier étage, puis se met à courir en direction de la rivière Saint-François. Il se rend jusqu'au coin des rues Frontenac et Wellington Nord, avant que quatre policiers, alertés par une alarme, n'aient raison de lui. Le forcené est amené à l'hôpital Saint-Vincent-de-Paul pour qu'on y soigne les blessures qu'il s'est faites aux poignets. Puis, il est transporté à l'aile psychiatrique de la prison de Bordeaux pour y attendre son jugement.

Le procès se déroule presque un an plus tard, le 7 février 1957. Il ne dure que quatre heures. La défense, représentée par Me Maurice Delorme, ainsi que le procureur recommandent tous deux un verdict de non-responsabilité criminelle en raison d'aliénation mentale, qui est suivie par le jury.

Roméo Drapeau terminera ses jours à l'hôpital psychiatrique Louis-Hippolyte Lafontaine et sera enterré au cimetière d'East Angus.

LE CABINET DU DOCTEUR CAMERON

MONTRÉAL, 1956-1967

En temps d'épreuve et de chagrin, il est tout à fait normal de s'imaginer revenir en arrière pour corriger un geste, effacer une parole (ou, au contraire, trouver le courage de la dire), bref, pour changer le cours des choses. Pris dans l'étau du désespoir, certains se surprennent même à rêver de tout effacer afin de pouvoir écrire sur une page blanche, en rupture complète avec l'être qu'ils ont toujours été. Mais ces rêves sont au mieux vains ; au pire, ils sont dangereux. Lorsqu'on les prend au pied de la lettre, ils rappellent un traitement qui a marqué l'histoire de la psychiatrie d'un de ses plus sinistres épisodes et qui, de toute évidence, n'est pas moins cruel que bien des crimes plus sévèrement punis.

Ce traitement, c'est le lavage de cerveau.

*

Épouse d'un ministre connu, Val Orlikov se désintègre depuis qu'elle a accouché de son seul enfant. Douloureux et marqué de complications, le labeur a duré trois jours ; depuis, la santé fragile du bébé réclame tous ses soins.

Val vit un cas sévère de dépression post-partum aggravé par les circonstances ; à Winnipeg, les psychiatres se font rares, et ceux qui auraient pu l'aider le sont encore davantage. Celui qu'elle finit par consulter pendant quatre ans se contente de lui prescrire des médicaments avant de lui suggérer, lorsqu'elle tombe de nouveau enceinte, de se faire avorter et stériliser. Elle suit ce conseil, quitte à sombrer plus avant dans la dépression, puisqu'elle rêve en fait d'avoir une famille. En novembre 1956, après sept ans de dépression, Val décide de se faire traiter à l'Institut Allan Memorial de Montréal, réputé pour ses recherches psychiatriques de pointe.

Fondé par le Dr Ewen Cameron, cet institut, qui est affilié à l'Hôpital Royal Victoria et à l'Université McGill, est installé dans la maison Ravenscrag, un manoir de 32 pièces que fit construire en 1863 Sir Hugh Allan — l'une des plus riches fortunes canadiennes de son temps. Cameron lui fait ajouter une aile supplémentaire, haute de trois étages et en forme de « T ». Situé sur l'avenue du Parc en plein mont Royal, l'institut permet de traiter les patients dans un environnement naturel, riche en espaces verts. Les expériences qui s'y déroulent n'en sont pas moins sombres pour autant...

Dans les années 1950, la psychiatrie se comporte un peu à la manière d'un adolescent assailli par ses hormones et qui n'en contrôle pas la force. Il faut dire que les pressions et les tentations sont importantes : d'un côté, une batterie de traitements nouveaux, de l'électrothérapie à la psychanalyse, en passant par le boom du marché des drogues synthétiques, persuadent les médecins que le cœur même de l'esprit leur sera ouvert, qu'ils pourront y rectifier ce qui défaille, voire, bientôt, guérir la folie ; de l'autre, le retour de soldats américains traumatisés par la guerre de Corée, spécialement les prisonniers de guerre, persuade le gouvernement américain et la CIA que les ennemis communistes ont déjà accompli ce pas de géant. Il leur apparaît clair qu'ils ont percé l'énigme du cerveau et développé des techniques de manipulation mentale capables de reprogrammer la conscience aussi facilement qu'on manipule de la pâte à modeler et qu'ils se doivent de supplanter leur recherches et leurs avancées.

En créant des sociétés-écrans comme la Society for the Investigation of Human Ecology (SIHE, « Société pour l'investigation de l'écologie humaine ») qui permettent de dissimuler les sources de financement, le projet MK-ULTRA de la CIA accorde des bourses aux recherches qui l'intéressent. Et celles du Dr Cameron l'intéressent assez pour qu'elles figurent, de 1957 à 1959, parmi les 149 projets connus qui reçoivent ses faveurs.

Est-ce que le Dr Cameron connaissait l'identité de son commanditaire ? La question est sujette à débat. Chose certaine, sa quête d'une cure miracle et rapide contre la schizophrénie et d'autres affections mentales sévères le mènent à créer une panoplie de traitements radicaux qui, espère-t-il, rendront caducs les longs louvoiements des psychothérapies qui durent des mois, sinon des années.

Cameron croit qu'en effaçant la mémoire de l'esprit humain, en dépouillant celui-ci de son identité, on peut le remettre à neuf, vierge comme une page blanche, et lui faire perdre ses mauvais plis. Il évalue atteindre ce résultat en une dizaine de jours en provoquant chez ses patients des comas insuliniques à répétition (ce qu'il appelle des « cures de sommeil »), régulièrement interrompus par des électrochocs. Quand la condition du patient exige un traitement plus sévère, Cameron y ajoute de longues périodes de privation sensorielle et un cocktail d'antipsychotiques, de stimulants ou d'hallucinogènes comme le LSD-25, administrés par intraveineuse. Les patients passent ainsi des journées entières dans leur chambre ou au lit, loin de toute stimulation, hormis l'assaut sonore de bandes magnétiques qui répètent en boucle qu'ils sont de bonnes personnes, que leurs parents les aiment, etc. Après quelque temps, les patients, catatoniques, ne savent plus du tout qui ils sont : ils se trouvent dans l'état régressif de nouveau-nés incontinents qu'il faut nourrir à la cuiller. Cameron appelle cette méthode le *depatterning*, ou déconditionnement. Ses patients ne s'en remettront jamais complètement.

Val Orlikov fait partie de ceux-ci. Soumise sans avertissement à des injections de LSD pour « confronter ses problèmes fondamentaux », elle a l'impression que ses os sont en train de fondre, et elle passe trois jours dans un état de panique absolue. Ses protestations sont interprétées comme un signe d'entêtement et de résistance au traitement. Elle quitte l'institut avec un diagnostic passe-partout de « névrose de caractère grave ». Malgré tout, elle continue de consulter le Dr Cameron, à qui elle voue un inexplicable attachement. Elle fait même un second séjour à l'institut en 1963 : la batterie de tests est reprise, moins le LSD (que Cameron a entre-temps abandonné) ; en contrepartie, les électrochocs sont plus nombreux.

Val Orlikov ne sera plus que l'ombre d'elle-même — on aura réussi à la transformer, oui, mais pas pour le mieux.

*

Mary Morrow, une infirmière ambitieuse au tempérament difficile, rêvait quant à elle de faire une carrière en neurologie. Elle fut une autre des patientes du Dr Cameron. Exténuée par des journées de travail de 24 heures, pauvre, dépendante à la dexedrine et aux barbituriques, elle sollicite l'aide de Cameron pour poursuivre sa formation professionnelle. Voyant dans quel piteux état elle se trouve, il lui impose d'abord de subir un traitement. Sans rien connaître de son historique médical ou des médicaments qu'elle consomme, il lui colle un diagnostic de schizophrénie paranoïaque ; la voilà candidate au « déconditionnement », traitement qu'elle subit en mai 1960.

Le dixième jour, quand sa sœur, inquiète, vient la voir à l'Institut, Mary ne se souvient même pas qu'elle reçoit un traitement. Le bon docteur, quant à lui, pense que son cas est fichu, qu'il ne peut rien faire pour la traiter : celle-ci ne pourra jamais être médecin. La mère et la sœur de Mary insistent pour que le traitement cesse séance tenante. Une infirmière prend la patiente en charge le temps qu'elle revienne à la réalité. Elle est piteuse à voir : elle ne sait plus où sont ses yeux et sa bouche, s'habille n'importe comment... Son premier état de conscience ? Celui d'être dans un trou profond et obscur, privé de membres, comme une espèce d'asticot, sans sentir le sol ni l'eau. Il lui faut trois jours pour se souvenir qu'elle est un être humain, qu'elle a déjà été infirmière, qu'elle a étudié la neurologie. Elle se rend toutefois compte qu'elle a oublié beaucoup de choses.

Si, à force de détermination, elle pourra devenir consultante en neurologie — elle ne deviendra jamais praticienne —, Mary ne pourra plus jamais reconnaître un visage. Quand elle apprend la mort de Cameron en 1967, elle se met à genoux afin de bénir le ciel.

*

Ce n'est que dans la foulée des scandales du Watergate que l'implication de la CIA dans les recherches sur le lavage de cerveau commence à se faire connaître. Se réclamant de la loi sur l'accès à l'information, un journaliste d'enquête du *New York Times* réussit à mettre la main sur des documents qui ont échappé à la destruction. En même temps que le grand public, les anciens patients du Dr Cameron apprennent enfin ce qui leur est vraiment arrivé et pourquoi.

À la fin de la décennie 1960-1970, une poursuite collective est logée contre la CIA ; Ottawa décide que les anciens patients de l'Institut Allan Memorial sont autorisés à poursuivre l'organisation américaine. Dans une bataille juridique digne de l'affaire des enfants de Duplessis, la CIA propose aux victimes un règlement hors cour de 750 000 $, sans toutefois admettre sa culpabilité. En 1992, Ottawa offre une compensation individuelle de 100 000 $ à des dizaines de victimes de l'Institut. Aucune d'elles, cependant, ne récupérera sa santé, sa mémoire, son intelligence entière.

LES ANNÉES
1960

LA SOUPAPE SAUTE À BORDEAUX

MONTRÉAL, 1960

Personne ne pense que la vie en prison est une partie de plaisir ; le simple fait de s'imaginer emprisonné suffit à garder l'immense majorité des citoyens dans le droit chemin. Les conditions pénibles, la promiscuité, le quotidien réglé au quart de tour, et les autres détenus qui — c'est le moins qu'on puisse dire — ne sont pas des enfants de chœur, provoquent souvent des dérapages. Certains diront que la prison étant un lieu où l'on paie sa dette à la société, il serait illogique qu'elle soit trop confortable... Mais il y a tout de même des critères minimaux à respecter si l'on prétend que les hommes censés faire respecter la loi ne sont pas des barbares similaires à ceux des geôles médiévales...

Même si beaucoup de chemin a été parcouru en ce qui a trait aux droits des détenus, force est de constater que dans les années 1950, il y a loin de la coupe aux lèvres ! La prison de Bordeaux, au nord de l'île de Montréal, où on a exécuté les derniers condamnés à mort du Québec, fut le lieu de nombreuses émeutes, dont celles, rocambolesques, de 1960 — l'année même de la dernière exécution, celle du meurtrier Ernest Côté.

Les années d'après-guerre ne sont pas roses à Bordeaux. Hormis l'insalubrité générale des lieux, la qualité plus que douteuse de la nourriture servie aux détenus est à l'origine de beaucoup de mécontentement. En 1952, l'écœurement général suscité par les repas infects cause des émeutes, dont les dommages sont évalués à deux millions de dollars. En 1959, le journaliste Jacques Hébert publie même le livre *Scandale à Bordeaux*, dans lequel il dénonce les mauvais traitements infligés aux prévenus non pas déclarés coupables, mais jugés inaptes à subir leur procès, et qui sont malgré tout détenus dans l'aile psychiatrique de la prison, où ils croupissent dans d'ignobles conditions. Cet activisme en faveur des droits des prisonniers vaudra à Hébert des commentaires désobligeants de Maurice Duplessis sur la « saleté » de ses publications, que les gens de qualité ne lisent tout simplement pas... En matière de respect des droits — notamment ceux des orphelins —, le « cheuf » n'avait pourtant pas de leçons à donner.

De nombreux témoignages de prisonniers dans les années 1940 et 1950 ont attiré l'attention sur les mauvais traitements dont ils étaient victimes, ainsi que sur les conditions pitoyables des cellules de confinement, aussi appelées « le donjon » ou « le trou », où les prisonniers sont réduits à un régime de pain sec et d'eau, à dormir sans couverture sur des structures de métal, à faire leurs besoins dans des trous creusés à même le sol, sans système d'évacuation, à côtoyer les rats, les blattes et les punaises, à être privés de soins médicaux. On n'imagine pas autrement les caves de la Bastille... En outre, aux étages supérieurs, les murs s'effritent, les planchers d'asphalte surchauffent durant les canicules, et les odeurs sont insoutenables.

De telles conditions ne seraient pas faciles à endurer pour quiconque, qu'on soit un dur à cuire ou un fils à papa. Chez les prisonniers de Bordeaux, les frustrations s'accumulent. Lorsqu'on est considéré comme la lie de la société, le sentiment qu'on n'a plus droit à aucune forme de justice peut transformer le désespoir en une colère insurmontable.

C'est dans l'aile psychiatrique de la prison, où les évaluations de la santé mentale des détenus sont parfois expéditives, que les esprits s'échauffent, le 26 juin 1960. Durant le repas du soir, quelques-uns des 160 prisonniers de l'aile sud-ouest manifestent leur mécontentement quant à la qualité de la soupe aux pois. Les gardiens interviennent ;

la violence demeure verbale. Une fois le repas terminé, les prisonniers sont envoyés dans la cour intérieure, où on leur donne la permission de disputer une partie de balle molle. Ils se rendent alors compte que les battes, si elles sont faites pour frapper des balles, peuvent servir à frapper ce qui leur plaît... ou plutôt ce qui ne leur plaît pas.

Qui est le garde de service dans la cour ? Ce n'est pas le capitaine Massé, un gardien qu'ils connaissent bien et qu'ils apprécient, mais plutôt le garde qui a réprimé la contestation à l'intérieur. Bien vite, trois hommes le menacent avec des bâtons. Celui-ci dégaine et tire en l'air pour montrer que son arme porte plus loin que les leurs. Cela n'impressionne pas les prisonniers, au contraire. La colère qui couve depuis longtemps explose. Monsieur Émond, un voisin du quartier, affirme que le chahut a commencé vers 17 h 45, quand un coup de feu a retenti, suivi de : « Espèce de chien ! Tu l'as tiré ! C'est à notre tour de te tirer, maintenant... » L'émeute regroupera 150 prisonniers, durera deux heures, et fera de nombreux blessés.

Un groupe met le feu à la baraque de bois des gardiens, dans la cour intérieure. Un autre entreprend d'empiler les bancs de bois qui ceinturent la cour afin d'escalader le mur extérieur, qui ne fait pas moins de neuf mètres de haut. Deux hommes parviennent au sommet et se lancent dans le vide : l'un se fracasse les jambes à l'atterrissage ; l'autre est plus chanceux à son arrivée au sol... mais pas dans les airs. Des gardiens postés dans une tour de garde lui tirent dessus en plein vol. Il s'écrase, percé de deux balles, l'une dans la jambe, l'autre dans l'épaule.

De fait, les gardiens ne se gênent pas pour tirer les émeutiers. Au total, trois d'entre eux se retrouveront à l'hôpital pour blessures sérieuses ; celles-ci auraient pu être traitées plus rapidement si les prisonniers n'avaient pas empêché les ambulanciers d'approcher. « Nous ne cesserons pas tant que le capitaine Massé ne sera pas là ! », scandent-ils. Voilà une demande des plus claires, à laquelle les gardiens répondent par les gaz lacrymogènes.

Policiers et pompiers sont dépêchés sur les lieux. Vingt-six agents de l'escouade antiémeute débarquent de deux fourgons. Un imposant panache de fumée s'échappe de l'institution carcérale, et de nombreux badauds se sont approchés des murs de la prison, attirés par l'action et les cris : « Sale chien ! Attrape-le, attrape-le ! » Les émeutiers détruisent tout ce qu'ils peuvent, encouragés par les détenus qui hurlent dans leurs cellules. Le vacarme s'entend loin à la ronde... Ils cherchent aussi à alimenter l'incendie de toutes les manières possibles. Tous les bancs de bois sont jetés dans le brasier avec des morceaux de clôture ; même les dossiers des patients y passent, les émeutiers ayant réussi à pénétrer dans le bureau médical.

Le feu prend de l'ampleur, alors que les pompiers sont incapables de trouver une borne-fontaine fonctionnelle. Ceux-ci tentent de pénétrer l'enceinte pour trouver une sortie d'eau : accès refusé, le capitaine Massé n'est toujours pas sur les lieux ! Les murs de la prison sont également la cible des vandales, et de larges brèches sont ouvertes dans les structures de brique, desquelles dépassent des tubes d'acier tordu. Mais la répression commence à faire son effet. Les ambulanciers parviennent à entrer et évacuent les blessés. Celui-ci a reçu une balle. Celui-là a le visage complètement couvert de sang. Il faudra deux heures aux policiers pour rétablir la paix, trois aux pompiers pour éteindre le brasier.

L'un des gardes affirme aux derniers policiers qui quittent l'établissement que le raffut va probablement recommencer, vers 22 h le soir même. Il n'a que partiellement raison : il faut attendre trois jours avant que les détenus de l'aile médicale ne récidivent.

Dans l'après-midi du 29 juin, les 150 prisonniers tiennent trois gardiens en otage. Cette fois, les forces de l'ordre ne tardent pas. Soixante-dix policiers sont immédiatement envoyés en renfort, et la séquestration ne dure que 15 minutes. « Personne n'a même été égratigné. Ce n'était cette fois qu'une légère perturbation. L'aide n'a été demandée que par mesure de précaution », répondent aux journalistes les responsables de la prison. Disent-ils vrai ? Chose certaine, la sensibilité du public a été suffisamment éprouvée pour que les politiciens s'intéressent enfin à la situation carcérale québécoise.

Quatre jours à peine avant l'émeute du 26 juin, l'équipe du tonnerre est élue. Jean Lesage s'attaquera-t-il à la surpopulation carcérale, un problème dont son prédécesseur, Maurice Duplessis, ne voulait tout simplement pas entendre parler ? Un remaniement de l'administration de Bordeaux est annoncé en 1961. Peu à peu, les gardiens de prison se syndiquent.

On peut avancer que, même si ce n'était pas très joli entre les murs de Bordeaux ce soir-là, l'émeute du 26 juin 1960 aura contribué à faire avancer les choses...

UN FÉRIÉ QUI COÛTE PLUS CHER QUE PRÉVU

MONTRÉAL, 1961

Il est de ces criminels, si malfaisants, immoraux et dangereux soient-ils, qu'on ne parvient pas à détester tout à fait. Ils ont un génie qui leur est propre et parviennent à échafauder le crime parfait. Leur habileté leur permet de trouver le moyen de fuir la justice ou de se camoufler, parfois des années durant et sous les yeux mêmes des policiers.

Il n'est pas question de faire l'éloge d'un homme qui a passé sa vie à contourner la loi... Mais force est d'admettre que Georges Lemay, aussi appelé « Le Beau Georges » ou « L'Arsène Lupin québécois », a su tirer la pipe aux forces de l'ordre si souvent et efficacement qu'il suscite un brin de sympathie, voire d'admiration.

Georges Lemay n'était certes pas un enfant de chœur... Enfin, il ne l'était plus depuis qu'il avait abandonné l'idée de devenir prêtre, préférant l'atmosphère enfumée des cabarets aux vapeurs d'encens des églises. Audacieux séducteur, il ne fumait pas, buvait peu, et ne dédaignait pas ce que la richesse apportait d'ostentatoire : l'élégance, les voitures de luxe, les hors-bord au moteur surpuissant, le charme d'une résidence secondaire dans les Laurentides...

Lemay fait rapidement les manchettes pour les mauvaises raisons. En 1952, lors de son voyage de noces, son épouse, Huguette Daoust, disparaît. Malgré qu'il lui ait témoigné un amour vif et lui ait promis un bel avenir, Lemay, reconnu pour son tempérament bouillant, lui fait passer de mauvais moments, et le couple se querelle fréquemment. Le frère et la mère d'Huguette s'étaient d'ailleurs opposés à leur mariage, Lemay ne leur inspirant pas confiance. Rentré seul d'une sortie de pêche au large de la Floride, Lemay déclare aux policiers américains que sa femme est partie chercher des vêtements chauds à la voiture et qu'elle n'est jamais revenue. Aucune accusation n'est portée contre lui, et les thèses de fuite ou de disparition sont maintenues.

Les policiers s'intéressent à lui durant toute la décennie 1950, mais ils ne parviennent jamais à l'accuser formellement de quoi que soit. Une ancienne amie de cœur se plaint de harcèlement : sans conséquence. On le soupçonne d'être lié au meurtre d'un immigrant polonais : il s'en tire avec une simple amende de 25 $ pour possession illégale d'arme à feu. Peut-être est-il impliqué dans un certain nombre de vols de banque non résolus au cours de cette décennie ; qui sait ? Ce dont on est sûr, par contre, c'est qu'il est le cerveau d'un des plus impressionnants cambriolages de toute l'histoire canadienne : le vol d'une succursale montréalaise de la Banque de la Nouvelle-Écosse, au coin des rues Saint-Alexandre et Sainte-Catherine, le 31 juin 1961.

Cette année-là, Georges Lemay et son acolyte Roland Primeau sont très actifs : ils ont réussi à mettre la main sur une grosse somme de pesos cubains, qu'ils parviennent à refiler à bon prix à un gang sud-américain. Mais cela n'est pas suffisant. Avec l'aide d'autres complices — Jacques Lajoie, André et Yvon Lemieux, et leur sœur Lise —, les deux hommes fomentent un coup fumant : ils creuseront un tunnel sous la voûte de la banque. Ils se procurent de la dynamite en bonne quantité et des perceuses à béton, qu'ils entreposent dans le sous-sol de Roland Primeau, à Laval. Ils mettent à l'épreuve la solidité de leurs mèches en perforant les murs de la fondation du bungalow : pas de doute, ils pourront se frayer un chemin jusqu'au butin.

Durant la nuit du 23 juin, veille de la fête nationale, le groupe s'amène sur le lieu du crime. Ils ont réussi à se procurer des duplicatas des clés qui leur permettront d'entrer dans le portique de la banque, dans le sol duquel il y a un trou d'homme. Ils y déposent tout le matériel nécessaire à l'excavation. Pendant la fin de semaine, de nuit, ils se glissent dans le trou, percent, creusent, et font exploser des charges sans que qui que ce soit ne s'en aperçoive : ils parviennent à dégager une voie jusque sous la voûte. Mais la dynamite n'est pas assez puissante pour franchir l'ultime barrière, et le groupe rentre bredouille. Lemay déclare à ses complices que cette fin de semaine est un gros zéro, un énorme fiasco. Mais il ne se démonte pas.

La fin de semaine suivante est celle de l'anniversaire de la Confédération. Le gardien de sécurité a droit à un jour de congé supplémentaire, ce qui, pour les lascars, représente plus de temps pour expérimenter avec leurs nouveaux explosifs. Dans la nuit du 30 juin, afin de vérifier si les détonations trop fortes attirent les curieux, Lemay et Primeau se postent dans une voiture et communiquent avec les foreurs à l'aide d'un walkie-talkie : s'il fallait que les policiers surprennent l'opération, les deux cerveaux pourraient au moins s'enfuir. Le TNT fait son effet : la paroi de béton armé, épaisse de 75 centimètres, s'effrite peu à peu. On tord les renforts de métal, on agrandit la brèche avec les perceuses. Les centaines de milliers de dollars, les kilos de bijoux, les liasses de bons d'épargne sont enfin à leur portée !

À l'extérieur, rien à signaler. Lemay et Primeau rejoignent leurs complices. Le premier s'engouffre dans le tunnel et coordonne le cambriolage — on force 377 coffrets de sûreté — pendant que Primeau, trop grand et trop gros pour se glisser dans la petite ouverture, chuchote, couché sur le ventre et la tête dans le trou, qu'ils en ont assez et que c'est le temps de déguerpir. Personne ne se rend compte du larcin avant la semaine suivante, au retour du long congé. Bonne fête, Canada !

Le coup fait beaucoup de bruit. Les policiers sont estomaqués par l'audace des voleurs et par la qualité de l'exécution du tunnel ; la *Gazette* de Montréal montre au grand jour le désarroi des forces de l'ordre, en mettant à sa une du 4 juillet 1961 la photo d'un agent accroupi au-dessus du trou, les bras ballants, entouré de coffrets de sûreté défoncés.

Lemay a déjà pris la poudre d'escampette sur son navire en compagnie de la belle Lise Lemieux, une séduisante chanteuse de cabaret de 10 ans sa cadette. Il faudra six mois pour que des indices mettent la police sur sa piste : après la découverte de 2000 $ américains dans une pièce à double-fond de son chalet de Mont-Rolland, ils lancent un avis de recherche. Primeau est arrêté en premier, puis Lajoie. Durant son procès, le complice Lajoie vide son sac pour se venger, les organisateurs du vol n'ayant pas voulu lui remettre la part du butin qu'ils lui avaient promise. Forte des informations du délateur, la police accuse formellement Lemay d'être le cerveau du cambriolage.

Il leur faudra encore trois ans avant de lui mettre la main au collet. Sous le nom de René Roy, Georges Lemay se la coule douce à la marina de Fort Lauderdale avec sa concubine. C'est la belle vie : ils sont riches et ils batifolent sur l'océan, à bord d'un magnifique yacht de 43 pieds. Mais la diffusion télévisée de l'avis de recherche provoque son arrestation : un voisin reconnaît Lemay et le dénonce à la police. Torse nu, il se rend sans résister, le 6 mai 1965. Mais il n'a pas fini pour autant de se jouer des autorités...

La loi prévoit que les époux ne sont pas tenus de témoigner contre leur douce moitié. Or, Georges et Lise ne sont pas mariés. Qu'à cela ne tienne, la loi prévoit aussi qu'un mariage est officiel sitôt que deux personnes échangent leurs vœux en présence d'un homme de loi, peu importe où et quand cela se produit. Les policiers américains savent que les amoureux tenteront de s'épouser pour éviter que Lise ne témoigne contre Georges ; c'est pourquoi ils interdisent à la jeune femme de visiter ce dernier, qui est enfermé à la prison de Dade County. Mais le 1er juin 1965, lors d'une audience de Lemay devant un comité d'immigration, Lise fait subitement irruption dans la salle en compagnie d'un juge ; ils échangent leurs vœux avant même que les policiers n'aient pu lever le petit doigt... ou sortir un dictionnaire anglais-français.

Lemay retourne en prison, mais le 21 septembre, il parvient à s'échapper de sa cellule, à prendre l'ascenseur jusqu'au 12e étage, à sortir par une fenêtre, et à descendre le long de la tuyauterie pour s'enfuir dans une voiture qui l'attend. Au revoir Floride ; bonjour Las Vegas ! La belle vie continue encore pendant un an. Sous le nom de Robert G. Palmer, Lemay achète une villa dans la banlieue de la ville du péché. Le FBI mettra la main à son collet alors qu'il sirote un martini dans un casino : Lemay a été identifié par un touriste québécois.

De retour à Montréal, il est condamné à huit ans de prison pour l'affaire du vol de banque. Il divorce de Lise et fait son temps. Mais lorsqu'on est un criminel si habile qu'on est devenu une vedette, on ne prend pas si aisément sa retraite. Lemay est arrêté à nouveau en 1979, au moment où il entre dans un bâtiment de Rivière-des-Prairies. Avec un cousin, il a créé un laboratoire clandestin pour produire une quantité industrielle de PCE, une drogue hallucinogène en vogue chez les jeunes. La renommée a ses mauvais côtés: Lemay était filé en quasi-permanence par les policiers, qui savaient que le pénitencier ne suffirait pas à calmer ses ardeurs.

Le criminel fera parler de lui jusqu'à sa mort — décidément, il ne voulait rien faire comme les autres. En 2008, sa fille annonce son décès aux médias... décès qui a eu lieu en 2006. Elle-même vient tout juste de l'apprendre. Georges Lemay avait depuis longtemps coupé les ponts avec elle, et demandé à sa nouvelle conjointe d'attendre quelques années avant de divulguer la nouvelle de sa mort. Quant au butin de la Banque de Nouvelle-Écosse, qu'on estime à un demi-million de dollars, il n'a pas encore été retrouvé...

UN TISSU DE MISÈRES

QUÉBEC, 1963

Il fut un temps où, dans la province de Québec, on préférait ignorer le cycle de la violence. Les enfants maltraités étaient laissés pour compte; s'ils s'avisaient de reproduire les gestes qu'ils avaient subis, on les parquait dans des écoles de réforme où, souvent, la maltraitance se poursuivait, avec la bénédiction hypocrite des institutions religieuses en charge. Lorsque ces abus supplémentaires inspiraient à un jeune homme — maintenant tout à fait déséquilibré — des actes encore plus graves, on se bornait à le jeter en prison, où, encore une fois, il subissait souvent les assauts des codétenus, dans l'indifférence la plus générale.

C'est un tel parcours qu'a connu Léopold Dion. Ce récidiviste, qui finira par être affublé de la sinistre appellation «Monstre de Pont-Rouge», était assurément né sous une mauvaise étoile. Si son existence tragique n'excuse pas les gestes ignobles qu'il a commis, elle permet peut-être d'expliquer la provenance de ses pulsions morbides...

Fils d'un père violent et alcoolique, et d'une mère à la cuisse légère, Léopold Dion, violeur et meurtrier, a lui-même été violé et agressé. Le doute plane quant aux premiers abus qu'il subit; ils auraient peut-être commencé dès la tendre enfance, soit entre les mains de son père ou encore d'un des nombreux partenaires de sa mère, qui, quant à elle, se plaisait à le vêtir de robes et à l'appeler « Pauline ».

Après la mort de sa mère, Léopold est ballotté d'un orphelinat à l'autre. À 13 ans, on l'expulse de l'Institut religieux Dom Bosco après qu'il a été surpris avec un frère, bref: après s'être fait violer officiellement pour la première fois.

En 1937, Léopold a 17 ans. Il purge une peine de prison pour avoir commis de grossières indécences sur un enfant de 10 ans. Il est sodomisé quotidiennement par les autres détenus, qui se le tirent au sort.

On retrouve sa trace en 1940 lorsque, assisté de son frère, il agresse brutalement une institutrice sur le rang Petit-Capsa, en bordure d'une voie ferrée près de Pont-Rouge. La jeune femme en gardera d'importances séquelles. Quant au malfaiteur, il reçoit cette fois une peine de prison à vie.

Seize ans plus tard, Dion est libéré sous conditions. Il est maintenant bâti comme une armoire à glace. Toutes ces années passées à l'ombre en ont fait un être redoutable, sans pitié : un véritable danger pour cette société qui s'est si peu souciée de son sort.

Est-il si surprenant qu'il choisisse de s'en prendre à de jeunes et innocentes victimes ?

*

Vieux-Québec, 20 avril 1963. C'est un bel après-midi de printemps. Guy Luckenuck, un jeune musicien en herbe, flâne sur les trottoirs de bois attenants au Château Frontenac. Le panorama, qui donne sur le Saint-Laurent, est magnifique. Des gens élégants se promènent autour du prestigieux hôtel... Qui sait... Peut-être Guy rencontrera-t-il quelqu'un d'important ? Une personne qui verra tout de suite son talent ?

Le jeune Guy croit que son jour de chance est arrivé lorsqu'un homme bâti, muni d'un appareil photo, se dirige vers lui à grandes enjambées. Il a le regard animé d'un feu qui ne peut être dû qu'au fait d'avoir reconnu en lui un être d'exception, promis à la gloire. Comme il a bien fait de se sauver en douce du Conservatoire, sous le prétexte d'avoir à faire une course !

L'homme se présente : il est photographe pour une revue de mode américaine. Il demande à Guy s'il est seul, s'il accepterait de faire quelques photos pour lui. Et comment !

L'inconnu le mitraille de son objectif.

Et s'ils changeaient de cadre? Quelque chose de plus champêtre...? Le jeune Guy, enthousiaste, s'empresse d'accepter et embarque dans la vieille Vanguard noire 1954. Un léger frisson le parcourt. L'imposante voiture a connu de meilleurs jours. Mais quand, à 12 ans, on est un jeune pianiste prometteur de Kénogami qui vient tout juste d'être admis au Conservatoire de Québec, on se doit de saisir les occasions quand elles se présentent, pense-t-il peut-être.

Léopold Dion conduit jusqu'à une dune de sable, à quelques pas d'une route de campagne peu fréquentée, située entre Saint-Augustin et Sainte-Catherine. Il demande à Guy de s'étendre sur une couverture. De se déshabiller.

C'est à ce moment que Guy réalise la vraie nature de la situation. Sanglotant, il tente de prendre la fuite, mais l'agresseur est bientôt à ses trousses. Après avoir essayé d'abuser du garçon — sans succès —, Dion l'étouffe à mains nues. Il replie le pauvre enfant dans une minuscule fosse, qu'il couvre de quelques pelletées de sable.

*

Dimanche 5 mai. Dion est de nouveau en chasse. Le prédateur repère deux proies. Elles déambulent sur les plaines d'Abraham : le jeune Alain Carrier, huit ans, et son ami Michel, dix ans. Dion emploie le même stratagème qu'avec Guy. Il embarque les deux enfants dans sa Vanguard en direction de Saint-Raymond de Portneuf, et les conduit dans un chalet qu'il a lui-même construit.

Ils font des jeux pendant quelque temps : on se poursuit, on fait les prisonniers... Le petit Alain se retrouve même attaché sur une chaise.

Ces jeux devaient mal tourner : Michel et Alain connaîtront le même sort que Guy.

*

Samedi 25 mai. Les disparitions rapprochées commencent à semer la panique dans la population. Mais cela ne trouble pas le Monstre : il a un jeune garçon dans sa mire. Un dénommé Pierre Ouellet. Dion lui a donné rendez-vous la veille. Le jeune Ouellet s'est montré réticent à se laisser prendre en photo, mais Dion aime les défis : il a donc proposé au jeune Ouellet de venir travailler à son chalet. Le voilà justement... Mais...

Qui est cet homme qui s'avance avec lui ? Se sentant traqué, Dion prend la fuite. Le père de Pierre prend soin de noter le numéro de plaque de la Vanguard — c'est ce qui perdra Dion. Le pédophile aura toutefois le temps de faire une dernière victime, quelques heures seulement avant son arrestation définitive.

*

Dimanche 26 mai. Pierre Marquis part se promener sur la plage de l'Anse au Foulon ; il salue sa mère vers midi. C'est la dernière fois qu'elle voit son garçon vivant.

L'adolescent de 13 ans croise lui aussi la trajectoire de Dion. Il tente bravement de se défendre, mais le Monstre lui fera connaître une fin aussi sordide que celles de Michel, d'Alain et de Guy. Ce dernier repose justement à quelques pas de cette dernière victime.

*

La mère de Pierre Ouellet alerte les autorités, après avoir vu la lugubre Vanguard passer près de chez elle. Les policiers arrêtent Dion et le gardent en détention dans les cellules de la Sûreté du Québec en tant que témoin principal dans l'enquête du coroner, comme il était encore d'usage de le faire à l'époque. Après 39 jours d'interrogatoire, le Monstre de Pont-Rouge craque. Il avoue tout, parfois en pleurant. Ses aveux mènent les enquêteurs sur les tombes de ses jeunes victimes.

Pour lui, la peine de mort semble certaine, et ce, malgré la brillante défense du criminaliste Guy Bertrand, qui est alors un tout jeune avocat de 24 ans, désigné d'office pour défendre le sadique quadragénaire. Me Bertrand ne croit pas à la peine de mort. Malgré la monstruosité de son client, il le défend fougueusement, appelant à la barre le psychiatre Camille Laurin, qui détaille la sombre histoire de la vie de Léopold Dion. Peine perdue : le 14 décembre 1963, à l'issue de 15 jours de procès, le juge Gérard Lacroix condamne à la pendaison celui qui « de ses mains, a fait quatre petit saints ».

*

Luttant jusqu'au bout, Guy Bertrand demande au gouverneur de réduire la peine de son client, afin que celui-ci soit examiné par d'autres psychiatres. Il croit sincèrement que Dion est un malade, un être ravagé dont la mort ne servirait à rien.

Coup de théâtre : le 10 avril 1964, le gouverneur commue *in extremis* l'exécution de Léopold Dion en prison à vie. Même enfermé, celui-ci continue d'inspirer la peur le reste de ses jours, qui prendront fin d'une manière brutale. Le 17 novembre 1971, il est assassiné par Normand Champagne, un codétenu, dont l'histoire est relatée dans le présent livre (pages 83-87).

FAIRE SON SAVON SOI-MÊME N'EST PAS TOUJOURS PROPRE...

SAINT-GILLES DE LOTBINIÈRE, 1965

Un crime exerce une bien étrange influence sur son environnement : souvent, il en provoque d'autres. Il se répand à la manière des cellules cancéreuses qui corrompent les cellules saines autour d'elles.

L'affaire Darabaner, en étendant ses tentacules à tous les échelons de la société, a secoué la première moitié des années 1960. Moïse Darabaner, un homme puissant qui jouait en coulisse avec les politiciens, a réussi à monter une fraude systématisée de compagnie d'assurances. Commissaire de la Cour supérieure à Québec, il a même participé au débauchage de six députés créditistes afin que le Parti libéral de Lester B. Pearson obtienne la majorité au Parlement canadien, à l'issue du premier résultat minoritaire de l'histoire du pays, en 1963. Il était aussi usurier... C'est peut-être en raison de son pouvoir et de ses accointances dans les hautes sphères qu'on trouve si peu d'informations sur son système de fausses faillites et d'incendies criminels, grâce auquel les sommes réclamées aux compagnies d'assurances n'aboutissaient pas dans les coffres des bonnes personnes. Quoi qu'il en soit, cette histoire, si complexe en elle-même, n'aurait pu être confinée à la simple filière des crimes économiques.

Les énormes sommes mises en jeu ont ébloui les malfrats de tout acabit, des assureurs véreux aux meurtriers. Même les policiers qui ont été impliqués dans l'arrestation et l'interrogation des suspects sont loin d'avoir fait honneur à leur engagement envers la loi, l'ordre et la justice. C'est dire le caractère profondément malsain de cette affaire.

*

Le feu, si ravageur soit-il, ne fait pas disparaître toutes les preuves: il faut parfois aller plus loin et encourager la perte de mémoire de certains témoins. Puisque inciter à l'oubli s'avère généralement inefficace, certains vont jusqu'à l'élimination de ceux qui auraient des souvenirs trop compromettants. C'est le cas de Jean-Jacques Gagnon, de Fernand Quirion, d'André Lamothe et d'Ovila Boulet, qui ont été accusés en 1965 de meurtres reliés à des incendies criminels, tous en rapport avec l'affaire Darabaner. Certes, leurs victimes n'étaient sans doute pas blanches du point de vue de la justice, mais cela ne saurait légitimer leur destin funeste. Celui d'Albéric Bilodeau, tiré à bout portant et enterré dans une fosse creusée à la va-vite au cœur d'un boisé marécageux de Saint-Gilles de Lotbinière, n'est pas de ceux que l'on souhaite...

Bilodeau, peintre en bâtiments, avait été propriétaire d'un hôtel. Il était aussi l'un des pyromanes responsables de bon nombre d'incendies qui ont embrasé le Québec durant cette affaire. Après avoir brûlé son propre établissement avec la complicité de Gagnon et de Boulet pour, bien sûr, toucher le remboursement de ses assurances, il est contraint de dévoiler une partie de ses opérations frauduleuses aux autorités, qui font enquête sur le brasier. Ses révélations sont trop généreuses, selon ses acolytes. Le 17 septembre 1965, Jacques Gagnon et Fernard Quirion se rendent chez lui afin de le convaincre de renier sa parole et de garder le silence en échange de 5000 $. L'offre ne le persuade pas. Un nouveau rendez-vous est fixé le lendemain après-midi. Le soir même, toutefois, Gagnon, Quirion, Boulet et Lamothe se rencontrent chez Lamothe afin de préparer la rencontre, à laquelle ils prévoient un dénouement loin d'une simple entente à l'amiable et dont ils connaissent bien le déroulement, pour l'avoir déjà vécu ... C'est que le *modus operandi* du clan a déjà donné des résultats probants.

Après avoir passé une nuit inconfortable dans sa voiture, Boulet se procure du mazout et revient chez Lamothe, qui a entre-temps rassemblé un calibre .32 doré (une arme qui — la police le prouvera plus tard — avait déjà servi à tuer), une chaudière remplie de soude caustique, une pelle ainsi qu'un bidon d'eau. Les quatre malfrats traversent le pont de Québec et s'arrêtent en retrait de l'hôtel Saint-Henri de Scott, au sud de Québec, où doit les attendre Bilodeau.

Celui-ci n'est pas au rendez-vous fixé la veille. On lui téléphone ; il ne répond pas. Au moment où la patience du groupe atteint ses limites, Bilodeau arrive enfin en voiture, accompagné d'un inconnu. Boulet glisse à l'oreille de Gagnon :

« Il a amené un témoin... C'est peut-être une police. Vas-y pas.

— Ça me fait rien. En passer un ou en passer deux, c'est pareil. »

Gagnon s'empare du revolver doré et se rend à l'hôtel avec Quirion, qui revient quelques instants plus tard pour expliquer que Bilodeau et Gagnon ont pris la route vers Saint-Lambert-de-Lauzon, au nord. Quant à l'inconnu qui accompagnait Bilodeau, il s'est volatilisé ; on ne saura jamais qui c'était.

La Cadillac noire de Lamothe rattrape la voiture de Bilodeau alors qu'elle s'engage sur une route secondaire. Les voitures s'immobilisent ; deux coups de feu retentissent. Au moment où Boulet arrive à la voiture, Albéric Bilodeau est déjà mort, affalé sur la banquette avant, ensanglanté. L'une des balles s'est logée dans son cou.

La première étape du plan est réussie. Boulet prend le volant ; Gagnon s'assoit à l'arrière. Suivis de la Cadillac, ils se rendent dans un boisé humide de Saint-Gilles, où ils déchargent le cadavre, la pelle et le seau de caustique. Boulet creuse la fosse. La pelle s'enfonce aisément dans la terre mouillée. Il dénude complètement le cadavre, lui retire ses bijoux et sa montre, vide la soude caustique dans la fosse et y pousse enfin le corps. La réaction chimique ne se fait pas attendre : la solution d'eau et de soude provoque la désintégration des matières grasses du cadavre, qui se transforment en savon.

La méthode est éprouvée depuis des millénaires : les Égyptiens de l'Antiquité ont créé les premiers savons à base de graisse animale. De telles huiles sont encore employées aujourd'hui dans la production de masse de certains savons. Que des savons soient volontairement créés à partir de graisses d'origine humaine est certes horrifiant, et l'histoire ne prête qu'aux plus infâmes bourreaux de telles intentions. Les nazis, par exemple, en auraient fait avec des victimes des camps de concentration.

Nos assassins de Lotbinière, aussi ignobles fussent-ils, n'avaient d'autre intention que d'altérer le cadavre afin d'en rendre l'identification la plus difficile possible. Mais qui sait ? Ces hommes de main, bien que sans foi ni loi, cherchaient peut-être inconsciemment, en saponifiant leurs victimes, à nettoyer leur âme noircie par tant de crimes...

Une fois le corps désintégré à son goût, Boulet remblaie la fosse et la camoufle avec des branches.

Le groupe entreprend la troisième étape du plan : se débarrasser de la voiture de Bilodeau. Certes, on aurait pu s'attendre à mieux de la part d'un clan aussi expérimenté, mais le génie des criminels ne réside pas toujours dans leur habileté à camoufler leurs méfaits... Ils arrachent la plaque d'immatriculation de la voiture, la plient et la lancent par la fenêtre : une pièce à conviction pour le moins incriminante, qui sera aisément retracée par les enquêteurs. Avec le mazout, ils incendient la voiture sur une route secondaire de Plessisville.

Boulet va enterrer le pistolet doré sous le chalet d'un voisin, à Ham-Sud, non loin du lieu où l'on découvrira un deuxième cadavre, celui d'un autre incendiaire à la langue trop bien pendue — celui-là, Gagnon a été si satisfait de l'abattre qu'il s'est fait photographier debout sur la tombe de fortune. Les preuves sont accablantes.

Le 2 octobre, Boulet accepte de divulguer l'endroit où il a enterré Bilodeau. Il mène aussi les policiers à quelques centaines de mètres de là, pour leur indiquer l'emplacement d'une fosse où, quelques jours auparavant, un troisième corps a été découvert par un employé de la voirie. Ce cadavre ne fait pas exception : lui aussi a été décomposé par la soude caustique... Et sa poitrine contient toujours deux projectiles de calibre .32...

Condamné à la prison à vie, Boulet tente de faire réduire sa sentence, notamment en déclarant qu'il a agi sous les menaces de Gagnon et qu'il n'a pas participé à la préméditation du meurtre de Bilodeau. Il allègue par ailleurs que sa déposition a été faite durant un interrogatoire violent — ils sont nombreux, dans cette affaire, à affirmer avoir subi de mauvais traitements de la part des policiers. À sa comparution en cour le 11 avril 1967, Gagnon affirmera qu'il préfère le gibet à ses conditions de détention. Louis Sicotte, un assureur de la Rive-Sud accusé de fraude dans la même affaire, se fera battre si violemment par les policiers qu'il devra être gardé dans une tente à oxygène durant deux semaines pour survivre. Il intentera une poursuite de 250 000 $ contre ses agresseurs.

Malgré les méthodes odieuses avec lesquelles on a soutiré leurs témoignages, les quatre meurtriers sont condamnés. Cette histoire des *Golden Gun Killings*, comme l'ont appelée certains journaux anglophones, fut, c'est le cas de le dire, une sale affaire.

JOYEUX NOËL, VOUS ÊTES LIBRE

LAC-NOIR, 1969

On imagine souvent qu'une évasion de prison doit être rocambolesque: stratagème complexe impliquant de nombreux complices, coups de feu tirés à la ronde, poursuite sur les chapeaux de roue. Celle du notaire Yves Geoffroy, au contraire, s'est faite tout en douceur: on lui a tout simplement donné la permission de sortir de prison pour une durée de 50 heures afin qu'il puisse épouser sa maîtresse. Les tourtereaux n'allaient pas se satisfaire d'une si courte lune de miel! Ils disparaissent dans la nature. Ce tour de force aura des répercussions jusque sur le Parlement canadien.

Le 31 octobre 1970, le notaire Yves Geoffroy entre au pénitencier Saint-Vincent-de-Paul pour y purger une peine à perpétuité. Il a été trouvé coupable du meurtre de son épouse. Les circonstances du drame sont louches, mais il continue de clamer haut et fort son innocence.

*

Un incendie a eu lieu dans leur demeure du Lac-Noir, dans Lanaudière, le soir du 12 novembre 1969. Oui, Louise Côté est bel et bien décédée par manque d'oxygène. Mais les traces de violence sur son corps et le fait que ses poumons ne contenaient pas de trace de fumée permettent aux enquêteurs de conclure qu'elle est morte avant même que le brasier ne se déclare dans la chambre. De plus, une lettre de Geoffroy à sa maîtresse, la belle et discrète Carmen Parent — lettre écrite tout juste avant le drame —, fait croire aux jurés que le notaire avait prémédité son coup : « Que tu sois heureuse. Que nous terminions ensemble l'année 1969. Que durant cette année je recouvre la liberté afin de venir te chercher pour te faire mienne à tout jamais. »

Cela fait plus d'un an que Geoffroy et Parent se voient clandestinement. Le coup de foudre s'est produit lors d'une rencontre fortuite sur les lieux d'Expo 67. Geoffroy, malheureux en ménage, est profondément épris. Il promet à Carmen qu'il divorcera. Les amants correspondent ; Geoffroy se découvre même une ferveur poétique. Mais les événements font en sorte que les amants seront séparés 25 ans, le temps qu'il purge sa peine...

*

Une fois condamné, Geoffroy n'accepte pas sa situation de prisonnier, d'autant plus qu'il se déclare innocent. À la prison de Saint-Vincent-de-Paul, le notaire jouit d'un privilège certain : il aide les gestionnaires de l'établissement à effectuer des tâches administratives et entretient d'excellents rapports avec tout le monde. Il n'est pas un prisonnier ordinaire ; il ne se mêle d'ailleurs pas aux autres détenus, des gens de mauvaise vie, des voyous irrécupérables.

Durant l'année 1971, Geoffroy travaille dur pour monter un dossier de pourvoi, car il entend contester sa condamnation. Carmen lui rend visite aussi souvent que le permet le règlement, et, au cours de l'été, il fait une demande officielle pour obtenir la permission de l'épouser. Il plaide des raisons humanitaires : ses propres enfants n'ont plus de mère et leur père est en prison. Il faut bien quelqu'un pour s'occuper d'eux. Comme son dossier de détenu est excellent et qu'une brève rencontre entre une travailleuse sociale et Carmen confirme que cette dernière « semble être sûre de ses sentiments pour M. Geoffroy et [qu'elle] n'a rien d'une écervelée », la permission leur est accordée. Les amoureux sont ravis, mais il est difficile de vivre d'amour et d'eau fraîche derrière les barreaux. Si la demande de pourvoi est refusée, Geoffroy s'échappera. Carmen est d'accord ; de toute manière, son homme est innocent. Elle lui fait faire un faux passeport au nom d'un vieux cousin, vide ses comptes de banque, et se procure des chèques de voyage. Ils iront en Norvège, au bout du monde !

À la veille de Noël 1971, Carmen se présente à la prison. Cette fois, ce n'est pas pour une visite. Geoffroy a sa permission de sortie : 50 heures de liberté, pour célébrer le réveillon et se marier. Mais comme son pourvoi a été rejeté, les amants convolent... et s'envolent. Ils se marient à la chapelle Saint-Vincent-de-Paul, à quelques coins de rue de la prison, puis consomment leur union à Longueuil, chez Carmen. C'est sans doute la plus belle fête de la nativité qu'ils n'aient jamais célébrée ! Le lendemain, ils atterrissent à Londres, en transit vers Oslo.

Les 50 heures sont écoulées. Les autorités du pénitencier constatent que Geoffroy n'a pas respecté sa parole. On commence à sentir la soupe chaude dans les bureaux de l'administration. Quand le courrier reprend après le congé de Noël, une lettre de Geoffroy arrive, adressée au directeur de la prison : « Je n'avais plus rien à espérer, il ne me restait qu'à me résigner et [à] attendre encore, Dieu sait combien de temps. Je ne suis pas coupable et je veux profiter des quelques années de jeunesse qu'il me reste à vivre. Bien à vous. »

Cette histoire aurait pu rester un fait divers ; la direction aurait pu mettre le couvercle sur la marmite et réprimander en douce les responsables du cafouillage... mais la disparition de Geoffroy a plutôt un impact foudroyant. Il se trouve que Geoffroy, durant ses études en droit à l'Université de Montréal, a côtoyé le solliciteur général Jean-Paul Goyer, membre du gouvernement libéral de Pierre Elliot Trudeau, qui a justement, cette année-là, assoupli le système de demandes de permission pour les détenus. Durant ses études, Geoffroy s'est aussi lié d'amitié avec Raymond Denis, qui s'est fait connaître en 1966, alors qu'il était assistant au ministère de la Justice, pour une histoire de pots-de-vin impliquant un important trafiquant de drogue, Lucien Rivard. Denis a purgé deux ans de prison pour cette affaire. Il a par ailleurs gardé contact avec Geoffroy. Le soir du 24 décembre 1971, il n'est même nul autre que le garçon d'honneur au mariage des amants ! Pour ajouter du piquant à cette pièce de théâtre, Lucien Rivard, le trafiquant de drogue, s'est lui-même échappé de la prison de Bordeaux grâce à un boyau d'arrosage qu'on lui a étonnamment permis d'utiliser afin d'entretenir une patinoire dans la cour du pénitencier, alors que la température était bien au-dessus du point de congélation... Ainsi, lorsque l'affaire Geoffroy éclate, il se déchire bien des chemises sur la colline parlementaire à Ottawa. Comment a-t-on pu laisser un meurtrier sortir aussi facilement après seulement 14 mois de détention ? Y a-t-il une confrérie d'anciens étudiants en droit qui se protègent entre eux ? Pourquoi lui a-t-on permis d'épouser le témoin le plus important dans l'histoire du meurtre de sa première femme ? Dorénavant, en cas d'audiences en cour d'appel, Carmen Parent sera dispensée de témoigner contre son nouveau mari !

Toutes les ressources de la Gendarmerie royale du Canada sont déployées pour retrouver les fuyards. Il s'agit maintenant d'une affaire politique. Le ministère de la Justice est dans l'eau bouillante et la crédibilité des services correctionnels est entachée : il faut coûte que coûte retrouver les nouveaux mariés. Comme on les soupçonne d'être à l'étranger, le FBI est informé du cas, et l'Organisation internationale de police criminelle (INTERPOL) est aussi mise à contribution. La chasse à l'homme — et à sa femme — est lancée.

Pendant qu'on s'époumone à la Chambre des communes, Yves et Carmen essaient tant bien que mal de s'établir dans la capitale de la Norvège sous de fausses identités. Ils cherchent du boulot, n'en trouvent pas, et dépensent rapidement leur argent comptant. En janvier, sous de si hautes latitudes, c'est la nuit 24 heures sur 24, et le couple est rapidement abattu par la morosité de l'hiver. Comme ils seraient plus heureux sur les plages de la Méditerranée... Ils décident de se rendre en Espagne. Au moins, dans un climat agréable, il sera plus facile de recommencer une nouvelle vie. Mais INTERPOL est déjà sur leur piste, puisqu'ils ont commencé à encaisser les chèques de voyage que Carmen a candidement fait émettre à son nom... Entre-temps, les enquêteurs canadiens ont réussi à découvrir leurs fausses identités en analysant les demandes de passeport faites dans la dernière année.

Après un court séjour en Allemagne, le couple pose les pieds sur la péninsule ibérique. Ils y vivent réellement leur lune de miel, s'expriment au quotidien leur amour. Geoffroy se remet même à écrire des poèmes. Ils louent un petit appartement à Barcelone, planifient se rendre en Afrique pour travailler. Geoffroy peut exercer une profession libérale, alors que Carmen est professeure de physique et peut aussi enseigner le français. Que de naïveté ! Bien vite, leurs rêves s'écroulent ; la police internationale met le grappin sur eux, et ils sont déportés à Montréal.

La Cour rajoute deux années à la peine de 25 ans qu'Yves Geoffroy purgeait pour le meurtre de sa femme ; Carmen Parent, quant à elle, est exonérée de tout blâme. Le juge la déclare victime des circonstances : « Elle ne voulait qu'aider un homme qu'elle croyait réellement innocent. C'est l'amour qui l'a conduite si loin... » Un amour fou, oui, qui lui a permis de vivre une lune de miel sans pareille ! C'est avec des larmes de joie qu'elle reçoit ce jugement. Mais c'est aussi avec amertume qu'elle recommence ses visites régulières au pénitencier de Saint-Vincent-de-Paul....

MONTRÉAL, TRANSYLVANIE

MONTRÉAL, 1969-1971

L'histoire de nombreuses grandes villes est entachée par les basses œuvres de tueurs en série. Souvent, parce que leurs crimes odieux suscitent autant d'horreur que de fascination et que la presse contribue à leur faire une grande publicité, ils deviennent des objets de culte — culte morbide s'il en est un. Il n'y a qu'à penser au célèbre Jack l'Éventreur, qui avait terrorisé les nuits brumeuses de Londres à la fin du XIXe siècle en raison du triste état dans lequel on découvrait ses victimes, des prostituées affreusement mutilées. Le fameux Jack n'a jamais été retrouvé, et on ignore encore aujourd'hui son identité. Ce ne fut pas le cas de Wayne Clifford Boden, surnommé le « violeur vampire », qui a provoqué un climat de terreur à Montréal entre 1969 et 1971. Lui aussi mutilait ses victimes, de pauvres jeunes femmes qu'il séduisait pour en soutirer des faveurs sexuelles avant de les étrangler. Il ne les éventrait pas, ni ne leur tranchait la gorge, ni ne leur lacérait le visage, non. Il avait plutôt cette lubie de leur mordre sauvagement le cou et les seins, jusqu'à en arracher des masses de chair.

S'il est difficile d'identifier le couteau qui a lacéré un corps, il est plus facile d'identifier une dentition en fonction des morsures trouvées dans la peau des morts... Le cas de Boden en offrira l'occasion pour la première fois à la médecine légale.

*

Wayne Boden est né près de Hamilton, en Ontario, en 1948. C'est un homme élégant et de belle allure ; selon la rumeur, il aurait même été mannequin à la fin de son adolescence. On en connaît peu sur son enfance, hormis son charme, qui lui aurait permis de fréquenter un grand nombre de jeunes filles à l'école secondaire de Glendale, en Ontario. On sait également qu'il participe à une bagarre dans cette même école, bagarre si violente qu'elle fait couler bien du sang. Lorsqu'il atteint la vingtaine, sa carrière de vendeur itinérant le mène à Montréal, où il trouve un appartement sur le boulevard Dorchester, près de la rue Guy.

Sa carrière parallèle, celle de violeur meurtrier, commence le soir du 3 octobre 1969 : Boden s'en prend à une proie facile, la jeune Shirley Audette, qui a récemment suivi des traitements psychologiques à l'hôpital Douglas. Shirley souffre d'insécurité et de solitude, puisque son copain travaille de nuit. Elle lui téléphone souvent et s'assoit sur les marches de son immeuble ; l'activité nocturne de la ville la tranquillise. Cette nuit-là, vers 3 heures, elle téléphone à son copain pour lui dire qu'un étranger est venu lui parler et a tenté de la séduire. Lorsqu'il la rappelle deux heures plus tard, personne ne répond.

On découvre au petit matin le corps de la jeune femme. Il gît derrière le bâtiment, parmi les ordures. Son meurtrier, après l'avoir violée et mordue à la poitrine, a pris la peine de la rhabiller de pied en cap avant d'abandonner son corps. Pour rajouter à l'odieux de la situation, les médecins qui pratiquent l'autopsie constatent que la jeune femme était enceinte de cinq semaines.

Il faudra plus d'un mois à Boden pour trouver une nouvelle victime. Le meurtrier fréquente les discothèques de l'ouest de Montréal, où il fait la rencontre de Marielle Archambault, 20 ans, une jeune femme de Joliette qui travaille dans une bijouterie de la Place-Ville-Marie. Alors qu'elle ferme boutique après une journée de la fin novembre, Boden vient la chercher et se présente sous le nom de « Bill » à ses collègues. Ceux-ci affirmeront aux policiers qu'elle semblait fort heureuse d'être au bras de ce nouveau cavalier. Mais le bonheur fait place à l'inquiétude lorsque, le lendemain, elle ne se présente pas au travail.

La police sonne chez Marielle en début d'après-midi, accompagnée de la propriétaire de l'immeuble. Pas de réponse. Marielle est morte. Son corps étranglé gît sur le canapé, à demi habillé. Sa blouse arrachée a perdu des boutons, son soutien-gorge est déchiré, et son corps présente des morsures et des meurtrissures. Dans les effets de la jeune femme, la police découvre la photo d'un bel homme, au dos de laquelle le nom « Bill » a été inscrit. On croit à une piste importante, on diffuse même l'image dans les médias. On découvrira qu'il s'agit en fait du père de la victime, lui-même décédé depuis des années.

Le temps des fêtes passe, la nouvelle année commence. Les jeunes femmes de l'ouest de Montréal craignent pour leur sécurité. Deux crimes similaires se sont produits, ce qui indique un *modus operandi*: un « violeur vampire » court dans la ville. Qui sera sa prochaine victime ? Le sort choisit la malheureuse Jean Way, âgée de 24 ans.

Toute menue, la jolie jeune femme de Terre-Neuve planifiait retourner vivre dans sa province natale. La veille du crime, son copain et elle sortent danser dans une discothèque. L'après-midi fatidique, soit le 17 janvier 1970, les amoureux se parlent au téléphone et se donnent rendez-vous vers 20 h. Le jeune homme cogne à la porte de l'appartement à l'heure dite, mais personne ne lui répond. Ce n'est pas l'habitude de Jean de ne pas respecter un rendez-vous. C'est donc un peu préoccupé que son copain se rend dans une taverne à proximité, le temps de boire quelques verres. Lorsqu'il revient à l'appartement une heure plus tard, la porte est entrouverte. Il s'avance dans la chambre de Jean et la trouve couchée, recouverte d'un drap de lit duquel dépassent ses pieds. Son cou est entouré d'une ceinture, l'une des signatures du vampire, mais ses seins n'ont pas été mordus. L'enquête prouvera que l'assassin était dans l'appartement lorsque le copain de Jean a frappé à la porte la première fois. Si celui-ci n'a pu empêcher le meurtre, il aura au moins interrompu l'agresseur, le faisant fuir avant qu'il ne profane davantage le corps de sa victime.

Les médias informent la population de ce troisième meurtre, et un vent de panique se lève sur l'ouest de l'île. Or, c'est plutôt dans l'ouest du pays que se poursuit la triste quête de Wayne Boden. En mai 1971, la police découvre dans un appartement sens dessus dessous le corps d'Elizabeth Porteous, une jeune enseignante de Calgary qui a été violée, étranglée, et dont les seins portent des traces de morsures : tout indique que le « violeur vampire » a de nouveau frappé. Sous le corps de la jeune femme, un bouton de manchette brisé rappelle que le meurtrier se soucie de son élégance. Des témoins ayant vu Elizabeth à bord d'une Mercedes bleue, en compagnie d'un bel homme habillé de manière distinguée, mettent les enquêteurs sur la piste de Boden, qu'ils accostent le lendemain alors qu'il regagne sa voiture.

Grâce à un moule de ses dents, les médecins légistes parviennent à prouver qu'il est bel et bien le meurtrier d'Elizabeth Porteous. Il s'agit d'une première dans les annales judiciaires canadiennes : jamais auparavant une telle preuve n'a été déposée en cour — la méthode sera reprise quelques années plus tard, lors d'un procès contre un autre célèbre meurtrier en série, l'Américain Ted Bundy.

À son arrestation, Boden avoue avoir été mû par une soudaine compulsion d'étrangler ses victimes. Il n'explique toutefois pas le sombre plaisir qu'il tirait du fait de mordre leur poitrine. Condamné à vie pour le meurtre de Calgary, le meurtrier écope de trois autres peines à perpétuité pour ses victimes montréalaises.

Boden croit rester à l'ombre pour le reste de ses jours, mais dès 1977, des circonstances favorables font qu'il parvient à échapper à l'attention de ses gardiens lors d'une permission de sortie. Il a alors en sa possession une carte de crédit qu'American Express avait jugé bon lui faire parvenir, bien qu'il fût condamné à perpétuité pour quatre meurtres sordides. Deux jours plus tard, il est retrouvé dans un restaurant du centre-ville de Montréal. Qui sait s'il planifiait une autre attaque ? Il retourne pour de bon en prison, à Kingston, où il meurt d'un cancer de la peau en 2006. Après tout, il est de notoriété publique que les vampires sont sensibles au soleil...

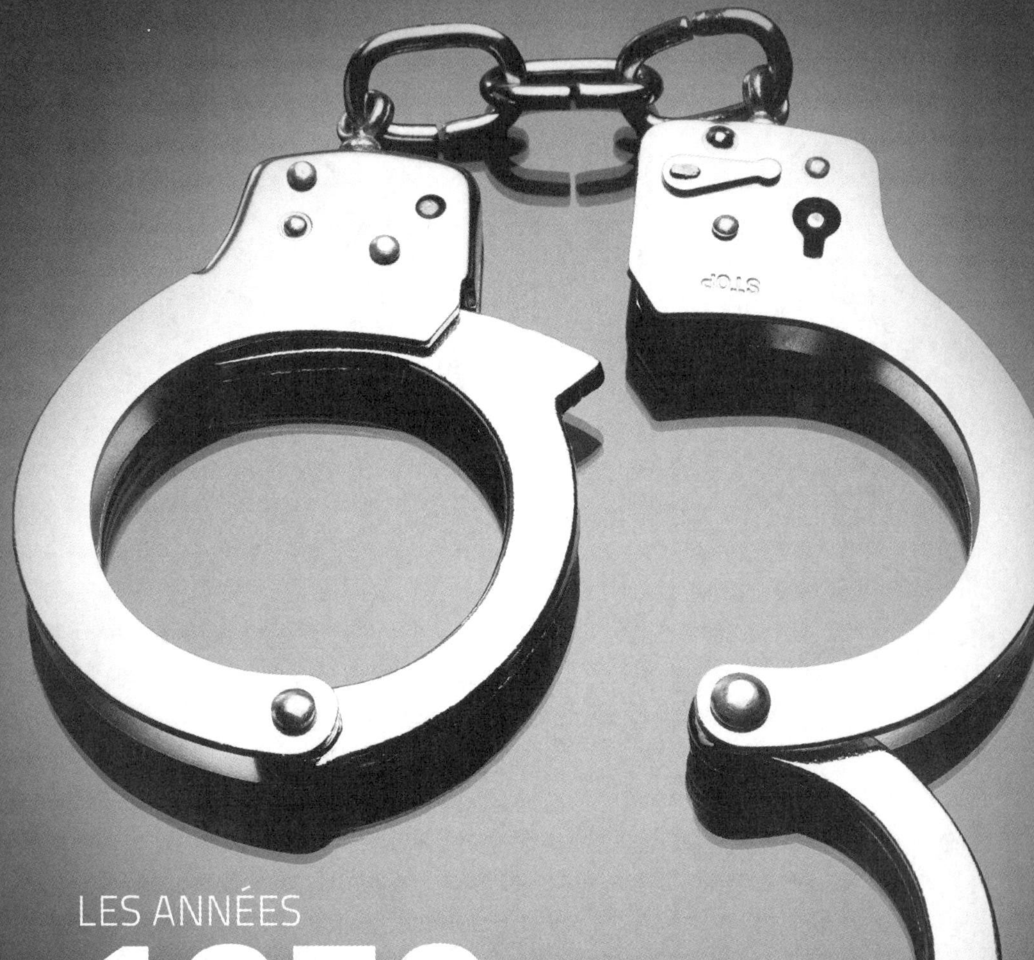

LES ANNÉES 1970

LE RÉVOLTÉ

MONTRÉAL, 1971

Jeudi, 7 octobre 1971. La météo annonce une journée nuageuse avec risques d'averses en matinée. Les esprits sont tournés vers la longue fin de semaine du congé de l'Action de grâce, qui les libèrera un peu de la vie de bureau. Mais en attendant de passer du temps en famille, il faut quand même travailler.

Harry Reichson tient sa boutique de tabac au rez-de-chaussée du 555, boulevard Dorchester Ouest, où se trouvent les bureaux de la société Du Pont Canada, spécialisée dans la vente de produits d'emballage. Reichson connaît les employés de l'entreprise par leur nom, fait un brin de jasette quand ils passent s'approvisionner en cigares et en cigarettes. Aujourd'hui, George Brian Mathews, 62 ans, est passé plus tôt qu'à l'ordinaire pour acheter son paquet de Borkum Riff: évoquant le long congé, il a promis de revenir le lendemain pour faire des provisions. C'est au tour de Meloche de venir s'acheter un paquet de cigarettes. Calme, un peu déprimé: « Ils viennent de me renvoyer, les sales. »

La veille, Meloche a appelé son supérieur immédiat, George Brian Mathews, surveillant du bureau des ventes, pour lui dire qu'il était fatigué et qu'il resterait chez lui pour la journée. Le surveillant n'a pas hésité une minute: « *That's it, young man. You're fired!* » Cause du renvoi : insubordination. Et inutile de se donner la peine de venir chercher ses affaires, on s'occuperait de les lui envoyer par la poste.

Meloche et Mathews ne s'étaient jamais entendus. Le premier ne se laisserait pas faire ainsi. Vrai, il avait un casier judiciaire. Oui, son employeur avait gracieusement accepté de l'embaucher, il y a 18 mois, par l'entremise d'un programme de réinsertion d'anciens détenus. Et alors ? Meloche avait mis beaucoup d'ardeur à bien performer dans son nouvel emploi. C'est ce qui lui avait permis de se hisser jusqu'à un poste de représentant à la Division des pellicules cellulosiques et plastiques.

Son ambition, cependant, ne s'était pas arrêtée là. Les mauvaises relations entre les employés de Du Pont et ses cadres le heurtaient depuis longtemps. Comment faire pour qu'elles s'améliorent ? Idéaliste et jamais à court d'idées, Meloche n'avait pas eu peur de proposer une transformation en profondeur de la culture d'entreprise. Selon lui, il fallait ouvrir le dialogue et améliorer la communication entre les employés, quel que soit leur rang. La direction devait céder une partie de son autorité contre un peu d'ouverture, valoriser et respecter l'implication de chacun. Et pourquoi ne pas renverser la position officielle de la compagnie sur l'utilisation exclusive de l'anglais comme langue de travail ? On était à Montréal, après tout...

*

Ayant commencé sa carrière chez Du Pont comme simple vendeur, Thomas Cawley, 48 ans, n'est pas du genre à se laisser étonner facilement par les conseils zélés d'un jeune employé travaillant pour la société depuis moins de deux ans. Cawley, lui, a bûché plus de 20 ans pour obtenir son poste actuel à la Division de la vente des pellicules. Ancien pilote de combat dans l'armée — où il a aussi formé des pilotes —, il valorise le respect de l'autorité, tant du côté où l'on donne les ordres que du côté où on les reçoit.

C'est pourtant lui qu'appelle Meloche après avoir été congédié par Mathews. Meloche a l'habitude de parler à tout le monde d'égal à égal, et sans doute insiste-t-il pour s'expliquer avec Mathews aussitôt que possible. Après avoir résisté, Cawley cède aux pressions. Mais une fois l'appel terminé, il regrette probablement déjà cette faiblesse.

*

La journée du 6 octobre, Meloche prépare son rendez-vous. Il rassemble des papiers dont il remplit son porte-documents, car il ne se contentera pas d'essayer de discuter avec ses supérieurs. Il rédige propositions et critiques, en anglais — on se demande comment aurait été reçu son dépliant de cinq pages à simple interligne portant le titre *Pourquoi la communication entre le « management » et les employés est-il efficace*. Meloche ne s'arme pas que de mots. Il scie le canon d'une carabine de calibre .410, qu'il charge de quatre balles et range avec le reste, dans le porte-documents. Son fils de trois ans et sa jeune épouse, les injustices que le système fait subir aux plus humbles, son passé de jeune délinquant et la tentation du suicide accaparent sans doute à tour de rôle son esprit, mais aucune de ces pensées, pas même son rôle de jeune papa, ne le fait reculer.

L'heure critique finit par sonner. Le 7 octobre 1971, un peu après 10 h du matin, Meloche est au sixième étage du 555, Dorchester, dans le bureau de Cawley — la première porte à droite, en sortant de l'ascenseur. Mathews est aussi présent.

Meloche plaide sa cause : il veut qu'on le réembauche. Les cadres refusent. Il essaie d'obtenir des compensations ; Cawley et Mathews refusent toujours. Alors, Meloche sort sa carabine. Il tire un coup puis un autre, à bout portant, en direction de ses interlocuteurs : touchés à la tête, ceux-ci s'effondrent. Pendant qu'ils se vident de leur sang, Meloche sort du bureau et emprunte la voie de passage menant à l'immeuble voisin, le 505, Dorchester, qui abrite aussi la compagnie Du Pont. Il se rend au bureau d'un autre cadre, Gaétan « Gordon » Langlois, 42 ans, qu'il abat à son tour. Puis, il emprunte un escalier de service, y abandonne son arme et s'enfuit. La carabine est encore chargée d'une balle, qu'il se destinait peut-être.

L'épouvante a vite fait de se répandre dans les bureaux de la compagnie. Des employés évacuent l'immeuble, paniqués ; d'autres s'embarrent dans leurs bureaux et appelent la police, dont les véhicules ont envahi les lieux par dizaines. On ferme le secteur, les agents s'arment de mitraillettes pour investir l'extérieur et l'intérieur de l'édifice, pendant qu'on entreprend d'emmener les victimes aux urgences, bien qu'on ne puisse les sauver.

Pendant une quarantaine de minutes, aucune hypothèse n'est exclue. Attentat terroriste, tireur embusqué... Le téléphone de Colin Young, un cadre de la compagnie Du Pont avec qui Meloche s'entend bien, se met à sonner. Meloche, la voix tranquille, s'enquiert de l'état des victimes. Il demande ensuite à Young de venir le chercher, mais celui-ci répond qu'il n'ira pas le rejoindre seul. « C'est correct, dit Meloche. Je vais me rendre de toute façon. »

Les policiers cueillent Meloche au coin des rues du Parc et Saint-Joseph. Commence une saga judiciaire de six ans, au cours de laquelle trois procès seront instruits pour mesurer l'étendue de la culpabilité du tueur. La défense tente d'obtenir un verdict d'homicide involontaire sur la base du tempérament dépressif de Meloche. Pendant les audiences, celui-ci se dira vite coupable de quelque chose, « mais pas de meurtre ». Son geste extrême est interprété par certains comme l'expression symbolique du ras-le-bol de l'employé canadien-français brimé par son employeur anglophone, ou, plus généralement, comme un indice de la révolte de l'exploité face à son exploiteur. Abordée par la presse après les meurtres, la jeune épouse de Meloche soutient avec un aplomb surprenant qu'au bout du compte, il faut blâmer la société pour ce que son mari a fait. Les patrons se permettent d'écraser les employés et de les mettre à la porte quand ça leur chante, sans demander leur avis, dit-elle. Il est tout à fait normal que certains se révoltent, et ce n'est pas près d'arrêter.

Dans la presse, l'affaire Meloche s'éteint... jusqu'au 15 octobre 2001, alors qu'on trouve un cadavre calciné derrière une succursale de la Banque Nationale, à l'intersection de l'avenue Papineau et de la rue Bélanger. Il faut peu de temps pour que les enquêteurs de la section des homicides découvrent que ce qu'ils prenaient d'abord pour une mort suspecte est en fait un suicide. Libéré de prison depuis plus de 15 ans à la suite d'une remise de peine, Vincent Meloche avait gardé un profil bas jusqu'à cette immolation, grâce à laquelle il fait parler de lui une dernière fois. Le contenu de sa lettre de suicide, où il expliquait peut-être les raisons de son geste, n'a pas encore été divulgué.

LA PREMIÈRE NÉGOCIATION DE CLAUDE POIRIER

MONTRÉAL, 1972

Thomas Edward Lawrence, dit « Lawrence d'Arabie », a été un personnage important de la Grande Révolte arabe qui eut lieu durant la Première Guerre mondiale. Envoyé en Égypte par les Britanniques, l'espion participe à diverses batailles contre l'Empire ottoman. Il devient une figure connue du grand public en tant qu'écrivain. En fait, il marque tant les esprits qu'Hollywood produira un film à succès inspiré de sa vie.

Lorsque Normand Champagne déclare être la réincarnation de l'aventurier britannique au moment d'assassiner Léopold Dion, qui est son voisin de cellule au pénitencier de Sainte-Anne-des-Plaines, il témoigne de sa mauvaise lecture de l'histoire... et d'un profond dérèglement de l'esprit. Le 17 novembre 1972, armé d'un couteau et d'une barre de fer, Champagne non seulement défigure celui qui s'est tristement fait connaître dans les années 1960 comme le « Monstre de Pont-Rouge » (dont on peut lire l'histoire aux pages 55-59 du présent livre), mais mutile les organes génitaux de ce dernier avant de procéder à l'extraction de son cerveau, qu'il offre au ciel. Ce meurtre sauvage lui vaut un transfert à l'Institut Philippe-Pinel, une institution psychiatrique qui reçoit les criminels au cas lourd.

Même fortement médicamenté, Champagne est toujours aux prises avec ses dédoublements de personnalité et ses accès de violence et de colère. Lorsqu'il est calme et qu'il retrouve en partie ses esprits, il trouve odieuses ses conditions de détention, présentes et passées, et juge que les prisonniers du Québec sont très mal traités. Un jour, il n'en peut plus. La hargne le gagne, ses idées s'embrument ; il redevient Lawrence d'Arabie. En tant que figure historique d'importance, il juge de son devoir d'alerter les autorités provinciales et de sensibiliser la population.

Avec l'aide d'un codétenu nommé André Gratton, le 11 juin 1973, à 13 h, dans l'aile 1B du deuxième étage de l'Institut Pinel, Normand Champagne prend en otage son éducateur, Gilles Beaulieu, une infirmière nommée Denise Nadeau, ainsi qu'Huguette Sarrazin, une préposée de l'accueil : ceux-ci sont attachés à des chaises par les pieds et les mains, bâillonnés, puis séquestrés dans le poste de garde vitré qui se trouve à l'intersection de deux corridors. Par les vitres, Champagne peut voir tout autour et, dès que des gardiens tentent de s'approcher ou de lui parler, il saute à la gorge de Gilles Beaulieu en menaçant de lui trancher la gorge avec un couteau. Il possède aussi une paire de ciseaux tordus.

Parmi les détenus, les autorités trouvent un volontaire qui accepte de jouer l'émissaire. Des émetteurs-récepteurs sont remis à Gratton et à Champagne. Ce dernier émet ses conditions : si les policiers sont avisés de quoi que ce soit, les otages mourront. De plus, Gratton doit être libéré et pouvoir se rendre sans embûches au centre-ville. La seule personne à qui Champagne veut parler et qui pourrait l'aider à diffuser son message, c'est Claude Poirier. Qu'on l'appelle !

Claude Poirier a déjà une carrière médiatique florissante. Depuis 1960, les auditeurs de la radio de CJMS et les téléspectateurs de Télé-Métropole le suivent et l'apprécient.

Le journaliste reçoit des appels mystérieux dès 13 h, mais il ne se présente à l'Institut Pinel qu'à 19 h 30, après avoir pu confirmer qu'il n'est pas la victime de plaisantins.

Là-bas, la situation est de plus en plus tendue. Champagne n'a pas pris ses médicaments ; personne n'a mangé ou n'a pu aller aux toilettes. Les gardiens et les médecins sont plus qu'inquiets pour la sécurité des otages. Ils obtempèrent toutefois aux demandes, et ne contactent pas les policiers.

Claude Poirier prend les choses au sérieux. Il ne veut pas compromettre la vie des otages. Muni d'un émetteur-transmetteur, il monte au deuxième étage, annonce son arrivée. Champagne envoie l'émissaire le fouiller. Celui-ci découvre que Poirier porte un émetteur sophistiqué, qui permet la diffusion radio à distance. Champagne accepte qu'il le garde : cela pourrait servir.

Le poste de garde est un fouillis : les dossiers ont été vidés sur le sol. Les otages sont assis, toujours attachés et bâillonnés. Poirier amorce la discussion, met le mutin en confiance, et réussit à obtenir la permission de retirer les bâillons des séquestrés. Alternant entre la colère, le délire et un silence lourd, Champagne, en proie à de violentes poussées de migraine, explique les raisons de son geste. Il parle des conditions de détention déplorables dans les prisons québécoises, d'un ami qui s'est suicidé « en dedans », de la violence qui règne entre les détenus eux-mêmes, mais aussi entre les gardes et les prisonniers. Tout cela doit cesser.

Poirier ne peut se fier à rien. Qui lui dit que le forcené ne s'en prendra pas à lui ?

Afin que la tension baisse, celui qu'on appellera bientôt « le négociateur » propose qu'on fasse livrer de la nourriture. Champagne exige dix pizzas, de la bière, des boissons gazeuses, des cigarettes et des cigares. En attendant la livraison, Claude Poirier aide Champagne à rédiger un texte qu'il lira dans l'émetteur radiophonique, et qui pourra être diffusé sur les ondes de CJMS. Normand Champagne dit « Lawrence d'Arabie » lit d'une traite le message... et ajoute quelques mots qui n'avaient pas été prévus : il interpelle personnellement le ministre de la Justice et lui intime de remédier à la situation. Le message est diffusé en boucle.

Un peu de joie s'installe dans le poste de garde : pizza, bière, cigarettes... Dans les circonstances, c'est un véritable festin ! Cependant, le message de Champagne a fait le tour des médias en quelques minutes, et l'Institut Pinel est maintenant assiégé par les curieux. À la demande de Champagne, Poirier jette un coup d'œil par la fenêtre : les policiers sont embusqués à proximité, et il est même pris en photo par des journalistes ! Champagne est en furie. Il redevient Lawrence d'Arabie et menace ses otages.

Poirier lui propose de libérer les otages et de le prendre à leur place : on fera approcher sa voiture, ils iront à la station de radio, et, une fois rendus, une conférence de presse sera organisée pour qu'il explique en direct les raisons de son coup de force. Puisque la situation est maintenant publique, il aura certainement un immense auditoire. Normand Champagne est d'accord, mais il exige de surcroît que le directeur de la prison lui accorde une permission de trois jours. Contre toute attente, ses conditions sont acceptées.

Il est 23 h 45. Le groupe descend les escaliers, se retrouve dans le stationnement, sous la pluie. La foule s'agite à la vue du forcené et des otages, à tel point que les policiers ont peine à les contenir à l'extérieur des barrières. Des photographes parviennent même à se faufiler de l'autre côté. Avant de les quitter, Champagne présente ses excuses aux otages. Après tout, il fallait bien qu'il se fasse entendre...

Cigare au bec, les deux hommes montent à bord de la voiture aux couleurs de la station de radio, qui s'engage dans les rues mouillées de la ville. Le négociateur appuie sur l'accélérateur pour éviter qu'ils ne soient poursuivis tout de suite.

Champagne veut modifier le trajet convenu : ils n'iront pas à la station de radio tout de suite, mais commenceront par un arrêt chez sa mère, question de la rassurer. Poirier obtempère. Il suit les indications, se gare dans la rue, va cogner à une porte qui s'ouvre sur une vieille dame terrorisée. La mère de Normand Champagne ne sait pas quoi faire. Son fils est devenu un monstre... un monstre qui se précipite dans la cuisine pour se servir un verre de lait et un morceau de gâteau.

Des voitures de police tournent le coin de la rue à toute vitesse, se stationnent en tous sens devant le domicile. Les agents mettent la maison en joue, protégés par leurs portières ouvertes. Des sacs de plastique protègent leurs casquettes de la pluie. Champagne est en furie. Ils ne l'attraperont pas ! Il a une permission de trois jours !

Les deux hommes sortent de la maison. Poirier reste tout près de Champagne pour éviter qu'on ne tire. Il ouvre la portière de sa voiture ; Champagne plonge côté passager. Poirier contourne la voiture et monte, démarrant sur les chapeaux de roues. Il se faufile entre les voitures stationnées. Une poursuite s'engage dans les rues et ruelles de la ville. Un couteau sur la gorge, Poirier grille des feux rouges, prend des sens uniques à l'envers, traverse des terre-pleins. Destination : centre-ville, où Gratton attend Champagne dans un tripot mal famé. Mais les rues sont remplies d'oiseaux de nuit, et la voiture se trouve coincée devant un cinéma par des dizaines de cinéphiles. Des policiers surgissent de la foule. Avant que Champagne n'ait pu trancher la jugulaire de son otage, il est empoigné et poussé contre le sol, où on le menotte.

Cette nuit-là, le « Lawrence d'Arabie » canadien a terminé sa cavale. Claude Poirier, quant à lui, a commencé une nouvelle carrière de négociateur. Il aidera des dizaines de criminels en crise à se rendre à la police, mettant sa propre vie en danger. En 1977, ses exploits lui valent la Médaille du courage du gouvernement du Canada ; depuis, il a reçu plusieurs décorations du gouvernement du Québec.

UNE EFFROYABLE TRAGÉDIE AU CAFÉ BLUE BIRD

MONTRÉAL, 1972

Gilles Eccles, Jean-Marc Boutin et James O'Brien sont de petits voyous de l'Ouest-de-l'Île. Ils ont une vingtaine d'années et n'ont d'autre projet que de vivre des sensations fortes, qu'ils stimulent grâce à l'alcool et à d'autres expédients plus costauds. *Bums* sans envergure, ils n'hésitent pas à provoquer des bagarres pour le plaisir ; une fois intoxiqués, ils se sentent invincibles. Mais Eccles n'est plus aussi assidu dans leurs virées depuis qu'il a une femme et un enfant. Ses nuits, interrompues par les cris du bébé, lui volent de l'énergie.

Qu'à cela ne tienne, ce vendredi-là, le 1er septembre 1972, il se joint à ses amis pour une journée complète de beuverie, comme dans les belles années. Ils descendent 48 bières dans l'après-midi seulement, au cours duquel ils roulent en voiture sur un terrain de base ball, pour en faire le tour des buts. Les bières et ce coup de circuit motorisé ne leur suffisent pas. En soirée, ils s'envoient des rhums et des gins dans les tavernes où ils ont leurs habitudes, les Deux Mouches et le Clover ; ils sont complètement saouls lorsqu'ils vont re joindre des amis au café Blue Bird. Au deuxième étage se trouve le bar Wagon Wheel, un point de rencontre populaire pour les jeunes qui aiment assister à des concerts et danser au son de la musique country. Plus de 200 personnes y sont rassemblées.

Les amis du trio sont assis à une grande table dont les autres places sont prises par des clients inconnus. Eccles, Boutin et O'Brien insistent pour s'asseoir avec leurs amis. Refus. Ils lèvent le ton, menacent les inconnus qui ont eu le culot de s'asseoir au mauvais endroit. Les esprits s'échauffent. Quand les compères refusent la table voisine que leur propose le gérant de l'établissement, le portier les expulse du café. Ils sont fous de rage, Boutin en particulier. La vengeance est inévitable.

Les trois hommes remontent dans la voiture et se dirigent vers une station-service voisine. Ils remplissent un bidon qui traîne dans le coffre et déguerpissent sans payer le pompiste. Eccles et O'Brien tentent de raisonner Boutin, mais rien n'y fait : celui-ci veut s'amuser. Il fera peur au portier avec une petite explosion comme il en provoquait enfant, en lançant dans les feux de camp des bouteilles de boisson gazeuse remplies d'essence. Ça fera sortir tout le monde à la course, et le portier se fera congédier — bien fait pour lui.

Eccles, assommé par l'alcool, s'endort sur la banquette arrière pendant que Boutin stationne la voiture en diagonale au beau milieu de la rue et sort, titubant, suivi par O'Brien. Ils se dirigent dans l'escalier de bois du café, vident la moitié de la bouteille d'essence dans les marches, y mettent le feu, et lancent la bouteille elle-même dans les flammes.

L'explosion, qu'ils souhaitaient petite, est énorme. La cage d'escalier devient l'antichambre de l'enfer. Les incendiaires déguerpissent sur les chapeaux de roues.

À l'étage, un groupe de country fait danser la foule. Le guitariste arrête de jouer au milieu d'un refrain : il voit la fumée envahir la cage d'escalier. Très vite, les flammes s'invitent au deuxième. On se précipite en sens opposé, vers la sortie de secours. Impossible de sortir ! La porte est cadenassée depuis quelques mois, car les tenanciers en ont assez de voir des clients entrer par la porte arrière sans payer. Une autre issue, au fond de la cuisine, est également verrouillée. La panique gagne la foule, alors que les flammes gagnent en intensité. La fumée s'épaissit, les jeunes gens se bousculent, trébuchent, se font piétiner, s'aident à se relever. On lance des chaises dans les fenêtres, on se coupe aux vitres brisées en se jetant dans le vide. Certains tentent de se réfugier dans les toilettes, espérant en ouvrir les fenêtres. La manœuvre réussit du côté des dames. Du côté des hommes, c'est un échec : on y retrouvera quatre corps.

Les services d'urgences sont dépêchés sur les lieux. C'est une vision d'horreur. Un immense panache de fumée et de cendres s'élève dans le ciel, des citoyens se massent autour de l'immeuble pour aider les victimes ou assister au triste spectacle, éberlués. De jeunes gens se lancent du deuxième étage sans attendre qu'on les accueille plus bas. Certains visent des toits de voiture afin de raccourcir leur chute d'un mètre et demi. D'autres n'ont pas cette chance et se fracassent les jambes au sol.

Le premier pompier à forcer l'issue de secours de la cuisine ne porte pas d'inhalateur et ne parvient pas à avancer tant la fumée est épaisse et la chaleur, suffocante. Il entend cependant une voix qui lui hurle, en anglais, de faire vite. Il répond en français qu'il faut se coucher au sol. On a compris ; il retourne s'équiper. Lorsqu'il revient à la cuisine, plus personne ne répond à ses appels. La scène est horrible.

Les pompiers bravent les flammes, pénètrent les lieux, et commencent à sortir les corps calcinés, les blessés piétinés, les victimes en détresse respiratoire, coupées par les tessons et les éclats de vitre. Il faudra trois heures pour éteindre le brasier. Bon nombre de victimes, dans la panique, se sont entassées dans un coin de la salle où il n'y avait pas d'issue. Plusieurs autres sont retrouvées sur le sol de la cuisine, dont on n'a pu ouvrir la sortie de secours à temps. L'enquête démontrera que le bâtiment, bien qu'il ait été visité par des inspecteurs du Service des incendies de la Ville dix jours plus tôt, ne respectait pas les règles de sécurité quant au nombre d'issues de secours, et surtout quant à leur fonctionnement. Le bilan donne froid dans le dos : 37 morts et 54 blessés, dont certains très sérieusement.

Les trois responsables, fiers de leur coup, errent dans la ville et poursuivent leur soirée dans un autre de leurs bars fétiches, le 67, comme si de rien n'était. Ils y rencontrent des amis, dont le frère d'O'Brien, qui leur apprend avec consternation que le Blue Bird a brûlé, que des dizaines de personnes ont péri. Les trois voyous ne peuvent y croire. Ceux qui ne voulaient faire qu'une mauvaise blague ont maintenant 37 morts sur la conscience. Ils veulent retourner au pub Clover pour noyer leur frayeur, mais il est trop tard pour y entrer. Ils s'assoient dans un parc afin de discuter stratégie. Eccles est raccompagné chez lui par un ami, alors que O'Brien et Boutin louent une chambre dans un motel, sous de faux noms.

Le lendemain, ces derniers vont chez Eccles, dont ils croisent le père, qui lit le journal. On y parle de la tragédie, mais leurs noms ne font toujours pas les manchettes. Boutin se rase la barbe et les cheveux. Avec O'Brien, il erre sur le mont Royal durant l'après-midi, puis donne rendez-vous au frère de celui-ci. « Vous devez vous rendre », leur conseille-t-il dans une taverne, mais les criminels croient naïvement pouvoir s'en tirer. Entre-temps, la police a arrêté Eccles chez lui, des témoins ayant relevé son numéro de plaque d'immatriculation. Il avoue tout. Ses deux amis sont traqués.

Boutin et O'Brien tentent de disparaître dans la nature. Ils appellent un ami à l'aide, lui demandent de l'argent, une tente et de l'équipement de pêche. Cet ami les reconduit lui-même jusqu'à Grenville, en Outaouais, sans poser de questions. Lorsqu'ils lui apprennent qu'ils sont recherchés pour l'affaire du Blue Bird, il les abandonne. Les fugitifs passent quelques jours dans les champs, habillés des jeans et des t-shirts qu'ils portaient le soir du drame. Ils tentent de survivre péniblement, sans parvenir à attraper de poissons.

Les deux amis traversent le Canada en autobus, cherchent du boulot sous de fausses identités ; ils ne trouvent pas. Ils aboutissent en Colombie-Britannique, où ils montent leur campement dans un sous-bois en retrait de Mission City. Des amis de Montréal leur envoient quelques vêtements et des billets de banque.

Un soir, Boutin est pris de remords et tente de se suicider en avalant le contenu d'une bouteille de somnifères. Il se réveille le lendemain. Il se rend à Vancouver pour acheter de l'héroïne, espérant en finir grâce à une surdose plus puissante. Il se fait toutefois arrêter pour possession de drogue... La cavale s'arrête enfin pour les deux incendiaires. De retour à Montréal, ils confessent leur crime. Boutin cherche tant bien que mal à prendre sur lui la responsabilité de la préméditation de l'incendie, mais la justice ne l'entend pas ainsi. Gilles Eccles, Jean-Marc Boutin et James O'Brien sont tous condamnés.

Cette tragédie a eu des répercussions sur le plan légal. En effet, les services d'incendie sont obligés d'admettre que les règlements de sécurité des bâtiments publics ne sont pas suffisants. De plus, à la suite de procès houleux, les organismes d'indemnisation de victimes sont améliorés. Mais, bien que cette histoire à glacer le sang ait détruit de nombreuses familles et soulevé l'indignation de la population, elle est rapidement enterrée par la presse, qui couvre alors la Série du siècle — opposant hockeyeurs russes et canadiens —, et qui préfère traiter de l'attentat des Jeux olympiques de Munich.

Des proches des victimes et des citoyens touchés par le drame ont organisé des cérémonies commémoratives en 2012, à l'occasion des 40 ans de l'incendie. Une plaque à la mémoire des 37 personnes décédées se trouve à l'endroit où s'élevait jadis le café Blue Bird, sur la rue Union, entre Dorchester (aujourd'hui le boulevard René-Lévesque) et Cathcart, au centre-ville de Montréal.

« MERCI DU SÉJOUR, MAIS JE NE FAISAIS QUE PASSER... » : L'INCROYABLE ÉVASION DE JACQUES MESRINE

MONTRÉAL, 1972

Jacques Mesrine fut sans doute le truand le plus remarquable que le Québec et la France aient connu. Véritable criminel-vedette, il était en relation avec de grands noms, de part et d'autre du sceptre de la loi. Du côté de ceux qui le respectent, on trouve notamment le journaliste Claude Poirier, qui le reçoit en entrevue à quelques reprises. Jacques Mesrine est également représenté par le criminaliste le plus célèbre de son temps, Raymond Daoust, qui le défend devant le juge Paul Miquelon — que la pendaison de William Coffin a tristement rendu célèbre (affaire dont il est question aux pages 29-34). Quant à ceux qui enfreignent la loi, Mesrine s'acoquine avec Jean-Paul Mercier et Richard Blass, dit « le chat » (dont les aventures sont racontées aux pages 117-120). Lors de son séjour carcéral à Percé, il croise aussi brièvement Paul Rose, un des felquistes responsables de la mort du ministre Pierre Laporte, pendant la crise d'Octobre.

On ne compte plus le nombre d'articles et de livres qui ont été écrits sur Jacques Mesrine, entre autres élu « homme de l'année » par le magazine *Paris Match* en 1978. L'acteur Jean-Paul Belmondo avait acheté les droits d'un éventuel film, qui aurait été tourné par Jean-Luc Godard ; et si ce film ne vit jamais le jour, le public se régale en 2010 du film en deux volets que réalise Jean-François Richet. Ainsi, diverses œuvres, mémoires ou fictions, n'ont cessé de paraître, depuis la mort du criminel, en 1979, à aujourd'hui.

Mesrine, qu'on a qualifié d'ennemi public n° 1, était avide de gloire et de publicité. Il ne reculait devant rien pour entretenir son propre culte, écrivant même deux récits autobiographiques, dans lesquels il embellit légèrement la vérité afin de contribuer à son propre mythe... Il est donc difficile de démêler le vrai du faux dans la surabondance d'informations qui existent sur lui. Chose certaine, les aventures du truand furent assurément rocambolesques.

Par exemple, à l'issue d'un procès digne d'un carnaval, son acquittement pour le meurtre d'Evelyne Le Bouthillier, propriétaire d'un gîte à Percé, n'est rien de moins que spectaculaire. Impuissant face au verdict d'acquittement, le président Miquelon n'hésite pas à signifier très clairement à la cour qu'il considère Mesrine coupable. Il exhorte même le jury et l'acquitté à aller pleurer sur la tombe de la malheureuse femme ; les huissiers doivent retenir Mesrine, furieux, de lui sauter à la gorge. Un véritable vaudeville !

Sa spectaculaire évasion de l'Unité spéciale de correction fut encore plus théâtrale.

*

L'Unité spéciale de correction (USC), un complexe pénitentiaire à sécurité maximale, était considérée comme la prison la plus moderne et hermétique qui soit. C'était un endroit dont on ne s'évadait pas. Conçu par des architectes plus préoccupés par l'optimisation du confinement que par l'humanité des lieux, ce bâtiment était aussi innovateur que terrible. On y envoyait les criminels dangereux et les prisonniers à problèmes, qu'on voulait dompter. Jacques Mesrine fait partie de ces derniers.

Au moment où on le place dans la fosse aux lions, il purge une peine de 10 ans pour la tentative d'enlèvement ratée du milliardaire Georges Deslauriers, et il a déjà tenté une première fuite du pénitencier tout neuf de Sainte-Anne-des-Plaines : avec quelques complices, Mesrine monte un plan astucieux pour prendre la clé des champs. Ils vont attendre l'heure de distribution des médicaments : le va-et-vient rendra leur échappée possible. Ils iront alors à la porte blindée de la cour intérieure, la seule qui ne nécessite pas une autorisation du poste de contrôle, et qui n'émet donc pas de signal électrique à son ouverture. Mais avant, il faut réaliser une copie artisanale de la clé.

Après deux mois d'observation minutieuse, les compères ont réussi à reproduire quasi parfaitement le dentelé de la précieuse clé. Il s'agit maintenant de la fabriquer. Ils subtilisent des métaux et de petites limes aux ateliers de travail de la prison, qui sont pourtant strictement contrôlés. La suite du plan est simple : ils vont, idéalement à la faveur du brouillard, traverser la cour, grimper aux toits des ateliers au moyen de cordes et de crochets dont la fabrication revient à Mesrine, sauter au sol, couper un trou dans la clôture et prendre la poudre d'escampette.

La découverte de matériel, préparé pour une évasion qui n'a rien à voir avec la sienne, alerte les autorités de la prison et mène à des fouilles de toutes les cellules. La corde, les crochets et les poignards trouvés dans la cellule de celui que la presse désigne sous le nom de « Mister Jack » lui valent 30 jours d'isolement strict, ainsi qu'un transfert à l'USC.

*

Pas de fenêtres dans cette cage aux fauves : la lumière provient des néons 24 heures sur 24, et presque aucun contact n'est permis entre gardiens et prisonniers. La nouvelle cellule de Jacques Mesrine est un bloc de béton dont la seule ouverture est une porte commandée électroniquement. Les murs sont nus, sauf deux bouches d'aération ainsi qu'un distributeur de gaz lacrymogène, et la discipline est terrible : interdiction de parler sauf aux promenades, châtiments atroces pour le moindre manquement ou la moindre provocation, ne fut-ce que soutenir le regard d'un gardien. Deux mois d'isolement strict sont le lot de tous les nouveaux arrivants.

Aux quatre coins du pénitencier, des miradors, d'où les gardiens peuvent tirer sur les prisonniers qui oseront franchir la ligne blanche qui se trouve à six pieds de la première clôture. Entre celle-ci et la deuxième grille d'acier, deux mètres de barbelés. Au-delà, des auto-patrouilles, qui effectuent des rondes régulières. Cinq cents mètres les séparent du premier sous-bois et de la liberté...

Qui pouvait s'échapper d'un tel Alcatraz ? Personne. Sauf... peut-être...

*

Il faut 10 mois pour que l'indomptable truand, secondé par Jean-Paul Mercier, mette son projet à exécution. Avec l'aide d'une dizaine de détenus, ils réussissent l'impossible : s'évader en plein jour de la prison dont on ne s'évade pas...

Ils ont remarqué que le lundi matin, certains gardiens somnolent dans leur tour ; ils en déduisent que ceux-ci boivent trop le dimanche. Il suffirait que deux des cinq gardiens soient inattentifs pour réussir à sectionner les grilles de métal.

Mais comment subtiliser les limes des ateliers de travail, encore plus surveillés qu'au pénitencier de Sainte-Anne-des-Plaines ?

Rusés, ils font en sorte que le chef de la sécurité lui-même leur amène les outils de leur fuite : Mesrine brise deux manches de raquette en bois, ce qui implique qu'il faudra en rebâtir en atelier. Dans les manches, ils dissimulent les précieux outils, avec la complicité de tout l'atelier.

Le lundi 21 août 1972 est le « jour J ». Tous les détenus sont au courant du plan : ils jouent leur rôle, minutieusement répété. Le garde de la tour gauche est endormi ; celui du chemin de garde discute. Jean-Paul Mercier s'aplatit dans l'herbe. Alors que Mesrine surveille les gardiens, Mercier coupe une première ouverture dans la clôture, et se met à ramper sous les barbelés.

Une patrouille s'arrête en face des fuyards : quelles minutes éprouvantes que celles où Mercier doit rester immobile, à un mètre des pneus ! La patrouille finit par partir. Stoïque, celui qui allait devenir le plus fidèle frère de crimes de Mesrine s'extirpe de la deuxième clôture. Pendant que le reste des détenus fait diversion dans la cour, Mesrine traverse à son tour de l'autre côté. Les deux hommes roulent dans un fossé, puis gagnent le sous-bois en rampant. Douce liberté !

Six autres détenus réussiront à s'enfuir de la même façon. La police est dans un état de frénésie complète, mais les bandits restent au large.

*

Cette spectaculaire évasion ébranle profondément le système judiciaire, et ce, pour le mieux. Le génie de la fuite écrira une lettre aux journaux pour dénoncer les conditions inhumaines qui règnent à l'USC : le centre de détention fermera pour de bon.

DESTRUCTION AU CAMPEMENT DU BARRAGE LG-2

BAIE JAMES, 1973

Au début des années 1970, au Québec, l'industrie de la construction tourne à plein régime. L'heure est aux grands chantiers : on construit le stade olympique, on agrandit le réseau du métro montréalais, des projets miniers se multiplient à la frontière du Labrador ou en Gaspésie, et, surtout, on lance le « projet du siècle » à la Baie-James, soit la construction de trois immenses barrages hydroélectriques sur la Grande Rivière.

Ce dernier projet ne manque pas d'attiser l'imaginaire des pionniers et des aventuriers, en repoussant les limites de la civilisation dans un territoire hostile. Avec ce projet titanesque, le gouvernement de Robert Bourassa espère créer 100 000 emplois. En effet, un grand nombre d'ouvriers de tous les domaines de la construction sont sollicités pour construire et entretenir les campements, creuser les énormes digues et canalisations qui détourneront la rivière, et construire le barrage lui-même. Ces travailleurs sont affiliés à la FTQ et la CSN, deux puissantes centrales syndicales qui rivalisent depuis longtemps pour se tailler la part du lion des accréditations.

Cette concurrence donne lieu à des gestes violents, à de l'intimidation, et à du maraudage déloyal. Les centrales forcent les compagnies à engager des fiers-à-bras qui, après avoir été élus délégués syndicaux, font régner une atmosphère viciée sur les chantiers : ils intimident les cadres et forcent des négociations désavantageuses pour les syndicats rivaux. Le chantier LG-2 ne fera pas exception à la règle, au contraire.

En 1973, dans une plaine entourée de collines, un nouveau campement a été construit parmi les conifères. Constitué de roulottes rectangulaires, de dortoirs rectilignes et de bâtiments abritant les salles communautaires et la cafétéria, il remplace l'ancien campement fait de grandes tentes de toile. L'eau courante y est distribuée, trois immenses génératrices l'alimente, et il possède des réservoirs d'huile diesel et d'essence.

La FTQ est déterminée à obtenir le monopole des accréditations. Après le temps des fêtes, les ouvriers remontent au chantier à la mi-janvier. Entre-temps, une douzaine d'hommes costauds se sont fait engager et élire délégués. On les appelle « les bras ». Ils bénéficient d'un salaire hebdomadaire extrêmement avantageux. En faisant la tournée des différents projets, ils intimident les ouvriers accrédités auprès de la CSN, insultent les cadres et bloquent les bureaux des directeurs du chantier.

Le « Local 791 », dirigé par Yvon Duhamel, fait le plein de membres : il compte 60 % des syndiqués. Duhamel ne baissera pas les bras tant que sa section ne représentera pas 100 %. Devant les manœuvres d'intimidation orchestrées par les délégués, par exemple le non-respect des horaires de travail, la fermeture inopinée de chantiers et le squattage de salles communautaires, Laurent Hamel, le plus haut responsable de la Société d'énergie de la Baie James (SEBJ) qui est sur place, en a plein les bras ; Duhamel joue au dictateur et conteste ouvertement son autorité.

Le 12 mars, dans une salle de repos où des travailleurs discutent paisiblement, deux délégués du 791 surgissent, dont un certain William Saint-Onge, un karatéka récemment sorti de prison. Parmi les travailleurs présents, il y a des affiliés à la CSN. La querelle éclate. Saint-Onge décoche un coup de poing si puissant qu'il fait voler l'homme qui le reçoit dans les airs. La SEBJ réagit sur-le-champ : elle somme l'employeur de Saint-Onge de le renvoyer. Duhamel voit rouge.

Le 18 mars, de nouveaux employés affiliés à la CSN sont engagés par un entrepreneur du nom de Lamothe. Duhamel insinue que l'embauche n'est pas en règle et exige leur renvoi immédiat. Sa demande n'étant pas respectée, des intimidateurs de la FTQ paralysent le chantier de l'entrepreneur. Duhamel convoque une assemblée-surprise afin de diffamer publiquement Lamothe Construction. La réunion est tenue dans une salle communautaire sans l'assentiment de la direction du chantier. Une lettre est envoyée le 19 mars au « Local 791 », exigeant que l'organisation respecte les règles d'occupation des locaux : on rappelle qu'une simple demande à la direction du campement suffit. Puisqu'on remet son autorité en question, Duhamel convoque le soir même une réunion dans la cafétéria, sans demander d'autorisation. La tension est à son comble. Les membres de la CSN sont expulsés de la cafétéria, tout comme les représentants de la SEBJ. Il est convenu que le syndicat exigera le renvoi immédiat d'un contremaître de Lamothe Construction, du responsable de la lettre — un dénommé Dave Alexander, travaillant à la SEBJ —, ainsi que d'un de ses collègues. De plus, il y a aura grève générale le lendemain.

À la première heure, le 20 mars, Laurent Hamel reçoit la visite de 30 intimidateurs, qui envahissent son petit bureau de 20 mètres carrés, alors même qu'il tente d'expliquer la situation à ses supérieurs de Montréal. Les fiers-à-bras coupent la ligne téléphonique et exigent le renvoi immédiat des trois personnes sur lesquelles on s'est entendu la veille ; leur collègue Saint-Onge doit également réintégrer le chantier.

Hamel refuse. Il s'est préparé au pire. Il a laissé une camionnette sur une route secondaire, à trois kilomètres du camp. S'il se fait physiquement expulser par les voyous, il n'aura que cette distance à marcher, et il pourra rouler jusqu'à l'aéroport. La nuit, le mercure descend tout de même jusqu'à-30 degrés Celsius !

La réaction des grévistes ne se fait pas attendre. On sabote les génératrices, dont l'enclos est cadenassé et surveillé par des agents de sécurité.

Une réunion d'urgence est tenue en haut lieu : une quinzaine d'agents de la Sûreté municipale de la Baie-James s'avouent limités dans leurs moyens de contenir les grévistes. Et s'il fallait que ça vire en émeute ? Un chef de service responsable des travaux d'infrastructure du barrage s'enfuit en camionnette vers Matagami.

Le 21 mars, après une nuit étrangement calme, la tension culmine. Un autre cadre s'enfuit. Laurent Hamel communique de nouveau avec ses supérieurs de la SEBJ à Montréal. On l'informe qu'un avion transportant 50 policiers doit atterrir à 12 h 30 ; les communications sont de nouveau coupées. Hamel ordonne que tous les entrepreneurs et responsables de la SEBJ évacuent les lieux. Dans un petit nombre de camionnettes, ceux-ci partent en direction de l'aéroport, pendant que des centaines d'ouvriers font le tour des dortoirs et des bureaux pour s'assurer que les patrons sont bien partis. Hamel sort du camp le dernier ; les grévistes bloquent l'accès avec des camions.

Vers midi, les ouvriers sont réunis devant le bureau de la FTQ. Yvon Duhamel leur annonce qu'il va s'occuper du grabuge lui-même, pour éviter qu'ils soient accusés de quoi que ce soit. Il monte dans un bélier mécanique : le carnage commence. Duhamel déplace des véhicules, défonce quelques roulottes ainsi qu'un des dortoirs, coupe les conduites d'eau qui alimentent le camp, renverse les génératrices. Un avion qui survole le camp fait un compte-rendu à Hamel, qui est à l'aéroport.

De Montréal, on coordonne l'évacuation. De nombreux avions sont nolisés et convergent vers la baie James. Entre-temps, Duhamel se met aux commandes d'un chargeur et éventre les réservoirs d'essence et de diesel. Les milliers de litres de liquide inflammable dévalent la pente en direction du camp. Il ne faut que quelques minutes pour que se déchaîne un incendie extrêmement violent, qui ne fait qu'une bouchée des fragiles structures de bois et de plastique.

Le tiers du campement est détruit. La panique s'installe ; les ouvriers fuient. Duhamel et les autres représentants syndicaux partent en Jeep. Ceux qui n'ont pas de véhicule partent à pied vers l'aéroport. Il est encore tôt en après-midi.

Laurent Hamel et quelques cadres reviennent sur les lieux pour constater les dégâts. La réfection du camp est anéantie... Mais pour l'instant, il faut tenter de contrôler les flammes. Aidé d'une quarantaine de volontaires, ils étouffent l'incendie, vident les conduites d'eau pour éviter qu'elles ne se brisent davantage sous l'effet du gel, et redémarrent la seule des trois génératrices qui peut encore fonctionner. À 20 h, Hamel et ses collègues quittent les lieux et se réfugient dans une roulotte garée sur un chemin secondaire. Leur génératrice portative flanche. La nuit est glaciale.

Les dommages sont évalués à 33 millions de dollars, et les travaux sur le barrage, retardés de deux mois: il faut reconstruire le campement. Duhamel, arrêté dès sa descente d'avion à Matagami, écope d'une peine d'emprisonnement de dix ans pour sa responsabilité dans les actes de vandalisme, mais surtout dans l'incendie criminel qui a mis la vie de centaines de personnes en danger.

L'incident fait le tour du monde. Dès le 27 mars 1974, Robert Bourassa lance la Commission d'enquête sur l'exercice de la liberté syndicale dans l'industrie de la construction, mieux connue sous le nom de commission Cliche, du nom du juge qui l'a présidée, épaulé par les avocats Brian Mulroney et Guy Chevrette. Cette commission débouche sur une mise en tutelle des sections syndicales fautives, la démission du « roi de la construction », André Desjardins, président du Conseil des métiers de la construction et vice-président de la FTQ, et la mise au jour de la corruption de certains hauts représentants du Parti libéral du Québec.

L'INFERNAL CERCLE VICIEUX DE LA VENGEANCE

SAINTE-ANNE-DES-PLAINES, 1973

Le soir du dimanche 11 novembre 1973 a lieu à Sainte-Anne-des-Plaines une fête-surprise en l'honneur de Donald Côté, un bijoutier du nord de Montréal. Une quinzaine d'invités célèbrent son 41e anniversaire, la fête bat son plein : des enfants courent dans le salon, on mange beaucoup, on boit tout autant.

À la fin de la soirée, après avoir regardé la télévision, les enfants sont épuisés. Le petit François Côté, cinq ans, va se coucher dans le lit de ses parents. Les invités partent les uns après les autres, hormis Marcel Lévesque, 25 ans, un ami qui reste pour la nuit. Comme son fils François occupe sa place dans le lit, Donald monte se coucher à l'étage, dans le lit d'un autre de ses fils. Sa femme Lise se couche avec le petit François ; Marcel s'étend sur le canapé du salon. Un peu ivres, les adultes s'endorment profondément.

Tout est calme quand, vers 3 h du matin, des hommes font irruption dans la maison, cagoulés, armés jusqu'aux dents de mitraillettes, de carabines et d'armes de poing. Ils procèdent à un carnage en règle. Au salon, un des malfrats troue le corps de Lévesque de cinq balles de calibre .38, pendant qu'un autre s'occupe de vider ses chargeurs dans le lit conjugal ; le troisième attend dans la voiture.

Le petit François est tué sur le coup. Lise est laissée pour morte et agonise, pendant que les meurtriers prennent la fuite. Ils balancent leurs armes dans le ruisseau qui passe près d'une ferme voisine. À l'étage, Donald, qui s'est réfugié sous le lit avec son plus vieux, entend sa femme crier : « Je vais mourir, je vais mourir... » La police est rapidement alertée ; Côté, sous le choc, a peine à raconter ce qui s'est passé.

On pourrait croire à une simple invasion de domicile, mais le coup porte la marque du crime organisé : une femme, un enfant et un jeune homme ont perdu la vie dans des circonstances atroces. Rien ne peut atténuer le caractère tragique de leur décès. En fait, ils ont été les victimes collatérales des activités de Donald Côté...

Les trois tueurs qui font irruption chez les Côté ce soir-là, Jacques Picard, Édouard Chiquette et Robert de Courcy, sont des hommes de main à la solde de groupes mafieux montréalais. Ils viennent régler le compte de Côté, impliqué dans une affaire d'importation de haschich qui a échoué au port de Montréal, quelques semaines plus tôt. Selon toute vraisemblance, ils l'ont confondu avec Marcel Lévesque.

À cette époque, Donald Côté est un personnage influent du monde interlope. Il est lié de près aux activités du parrain Cotroni et du gang de l'Ouest. Son nom revient très souvent durant les audiences de la Commission d'enquête sur le crime organisé (CECO) qui a lieu au même moment ; le milieu est nerveux. Il y aura vraisemblablement un jeu de chaises musicales dans les hautes sphères du monde parallèle.

Côté vient alors tout juste d'être libéré sous caution. Dans une gigantesque affaire de fraude, il a tenté avec trois complices de transférer un million de bons d'épargne du gouvernement du Canada dans un compte suisse. Le coup raté du haschich libanais, qui fait perdre des millions de dollars aux revendeurs montréalais, semble être la goutte qui fait déborder le vase. Ses alliés sont déçus une fois de plus.

La tentative de règlement de compte de novembre 1973 n'est pas la première que Côté subit ; en juillet 1963, on le tire à bout portant à sa sortie de l'hôpital où sa fille vient de naître. À l'époque, le récent meurtre du mafieux Rocky Pierson, avec qui il était de mèche, fait toujours les manchettes. D'un côté, les autorités soupçonnent l'implication de

Côté dans le meurtre de Pierson ; de l'autre, les liquidateurs redoutent qu'il ne vende la mèche. On le crible de balles, mais Côté survit.

Les policiers sont sur la piste des meurtriers : De Courcy et Chiquette sont impliqués dans l'histoire d'importation de haschich. On se doute donc qu'ils ont participé à la tuerie. Quant à Jacques Picard, il est filé sans relâche.

Les enquêteurs ont quelques pièces à conviction. Ils ont repéré une empreinte digitale sur une douille, mais son propriétaire est difficile à identifier. Aussi, ils ont mis la main sur les armes du crime, trouvées par un fermier sur les berges du ruisseau : un sac contenant un Arminius .38, un .12 à pompe, un .12 automatique et un M1 semi-automatique — toutes des armes illégales, volées en août 1972 au port de Montréal, durant la grève des débardeurs. Il se trouve que De Courcy, avant de devenir livreur de drogue, était lui-même débardeur au port, à cette époque...

Côté, lui, sait très bien qui est responsable de la mort de sa femme et de son fils, et il est déterminé à les venger. Du moins, c'est ce que les rumeurs laissent croire... Se doutant que les meurtriers voudront se laver de tout soupçon en se présentant aux funérailles de leurs victimes, Côté engage des tueurs pour les intercepter. De Courcy et Chiquette se seraient effectivement fait attraper au salon funéraire, et auraient été amenés à la bijouterie de Côté, rue Bélanger, pour être assassinés à leur tour. Les tueurs à gage auraient refusé l'argent offert par Côté, agissant simplement selon un code d'honneur. Cependant, tout cela reste de pures spéculations : Côté a été innocenté dans cette affaire en décembre 1976.

Chose certaine, le 14 novembre 1973, soir des funérailles, les pompiers et les policiers de Montréal sont appelés pour un incendie de voiture dans le stationnement arrière du restaurant Castel François, à Saint-Léonard. Lorsqu'ils parviennent à éteindre le brasier, ils découvrent dans le coffre les cadavres calcinés de Chiquette et de De Courcy, qui ont chacun reçu sept balles derrière la tête, tirées avec des pistolets munis de silencieux. Sans leurs bijoux, l'identification des corps n'aurait pas été possible.

L'autre meurtrier de la famille Côté, Jacques Picard — toujours filé par la police —, est au volant de sa voiture lorsque la nouvelle de la liquidation de ses complices commence à circuler dans les médias. Pris de panique, il brûle les feux rouges, traverse les terre-pleins, roule en sens inverse ... si bien qu'il parvient à semer la voiture qui le suit, dont il n'a jamais été conscient ! Un mandat d'arrestation est émis contre lui. Picard est un homme aisément reconnaissable : cinq pieds et dix pouces, 220 livres, cheveux noirs, yeux bruns, tatouages. Les policiers sont sur les dents, tout comme les mafieux. Qui sera le prochain à être assassiné ? Reste-t-il des comptes à régler ? Qui sera mis sous les feux de la rampe à la CECO ?

Donald Côté se tire indemne de cette histoire. Les quatre tueurs à gage qui ont liquidé les meurtriers de sa femme et de son fils sont arrêtés en 1975 à Newark, au New Jersey, mais Côté est innocenté au terme du procès, puisque leurs déclarations sont contradictoires. Il refait une brève apparition dans les médias en 1981 pour une affaire de trafic de cocaïne, mais il est à nouveau innocenté, encore une fois pour témoignages contradictoires, et pour fabrication de preuves.

SORDIDE ET GRATUIT

MISTASSINI, 1973

Trois jeunes en voiture ; deux adolescentes qui font de l'auto-stop. Rien d'anormal là, pensez-vous. Hélas, il suffit de se trouver au mauvais endroit au mauvais moment pour finir dans la chronique des faits divers…

Les corps des adolescentes seront retrouvés, ligotés, nus et égorgés, dans le froid jamesien d'un matin d'octobre. Un des responsables décidera de tout révéler, au contraire de ses deux complices qui, en cour, resteront muets.

*

Ils s'appellent Roger Duguay, 24 ans, Robert Beauregard, 19 ans, et André Veilleux, 18 ans. C'est un vendredi d'automne, le 12 octobre 1973. Les journées raccourcissent, la température baisse, et on s'ennuie, en Jamésie. Il y a peu à faire à part boire de la bière dans sa voiture. Le trio roule sans direction précise à bord d'une Ford Impala 1966.

Elles ? Elles s'appellent Lizzie Blacksmith et Bella Brian. Elles ont 16 et 15 ans, habitent la réserve crie de Mistassini. Elles se sont promenées toute la journée dans le secteur, sans but apparent. On les a vues à Chapais en après-midi, puis à proximité du parc Mistassini. Vers 18 h, on les a conduites en face du marché Lamontagne, à Chibougamau.

Elles font de l'auto-stop à la sortie de Chapais quand la Ford Impala s'arrête pour les faire embarquer, vers 18 h 30.

Lizzie et Bella s'assoient à l'arrière. C'est André Veilleux qui tient le volant. Dans l'auto, une caisse de 12. Entamée. On ne sait pas où les auto-stoppeuses veulent aller. Elles parlent seulement l'anglais, que les garçons ne comprennent pas. Peut-être les trois jeunes hommes commencent-ils à se raconter, dans ces mots dont leurs passagères ne peuvent saisir le sens, les saletés qu'ils ont envie de leur faire. Un des pneus crève sur le chemin de gravier.

« Fuck ! J'ai pas de *tire* de *spare*, dit Veilleux.

— Maudit sans dessein ! répond un autre. On va aller à la voirie. »

La Ford roule sur son pneu crevé. Ça fait un drôle de bruit. Beauregard dirait alors : « On va les tuer. » Veilleux ne le prend pas au sérieux ; il se met à parler d'autre chose.

À la voirie, Veilleux et Beauregard descendent du véhicule. On n'a pas les pneus dont ils ont besoin, il faudra aller chez Dallaire Lodge. Pendant qu'ils discutent, Duguay essaie de tripoter les deux filles : quand ses deux amis reviennent à l'auto, l'une d'elles pleure en se tenant le nez — Duguay l'a frappée pour l'empêcher de se sauver. Ça saigne.

On envoie Duguay chercher le pneu avec le gars de la voirie, et on tente de calmer la fille. On leur donne quelque chose à manger : baloney, fromage, saucisses à hot-dog. Elles font descendre le tout avec de la bière.

Duguay revient. Le pneu est posé ; on repart. À la sortie de Miquelon, ils achètent des boissons gazeuses. « Ramènes-en pour les deux filles ! », intime Duguay à Beauregard, qui doit retourner au dépanneur.

Duguay semble avoir pris le contrôle. Il demande à Veilleux de trouver un petit chemin afin qu'ils s'arrêtent. Veilleux dirige la Ford Impala dans un rang qui croise la route de Senneterre. Duguay se jette alors sur la banquette arrière en pointant un couteau de chasse dans les côtes d'une des filles. « *Get undressed.* »

« Vas-y, commence, c'est toi le premier », dit Duguay à Veilleux, le plus jeune de la bande. Celui-ci se rend derrière la voiture et sort une couverture du coffre. Il l'étend par terre puis se déshabille, pendant qu'une des victimes s'allonge, entièrement nue.

Veilleux est intimidé. Peut-être est-ce la première fois qu'il fait *ça*. Il n'est pas capable d'accomplir sa « besogne ». À peine deux minutes plus tard, il se rhabille.

« Je vais te montrer comment on fait », dit Duguay avant de passer à l'attaque. Ce dernier est plus expérimenté. Il y va de quatre positions différentes. Il prend son temps. Veilleux attend dans la voiture, assis à l'avant avec l'autre fille.

Duguay ordonne ensuite aux filles de lécher ses amis. Dans la voiture, Veilleux à l'avant, Beauregard à l'arrière, ils se font tous deux donner des fellations. Duguay reprend ensuite le volant. Beauregard est maintenant sur le siège du passager, alors que Veilleux est à l'arrière avec les deux filles. La voiture s'enfonce dans la boue du chemin, le moteur étouffe. Ils sont au milieu de nulle part. Beauregard répète : « Il faut s'en débarrasser. » Veilleux ne trouve pas l'idée bonne : « Vaudrait mieux pas. Ça va nous emmener en prison, ça. Et pour longtemps. »

Beauregard ouvre le coffre pour en ressortir la couverture, qu'il déchire en lanières. « Il faut s'en débarrasser. Il faut s'en débarrasser. » Aidé de Duguay, il attache les pieds et les mains des adolescentes. Ils commencent à les étrangler avec les lanières restantes. La tâche n'est pas facile. Beauregard appelle Veilleux en renfort ; celui-ci finit par accepter.

« Va chercher le couteau, lance Duguay.

— Je l'ai pas ! répond Veilleux. »

Duguay envoie un coup de pied dans le cou d'une des victimes, si fort qu'il en casse le talon de sa chaussure. Beauregard trouve le couteau, le tend à Duguay : il poignarde les filles dans le cou et dans le ventre. Il tourne le couteau dans les plaies.

Les deux garçons prennent les deux corps ligotés et les poussent dans le bois, pendant que Veilleux attend dans l'auto, qu'ils ont réussi à dégager. Duguay se rend à l'intersection : la voie est libre. Ils repartent en direction de Rouyn.

Dans la voiture, c'est le silence. « Celui qui raconte de quoi, je le tue », dit Duguay.

Les corps sont découverts le lendemain par deux chasseurs, au mille 64 de la route 113, au sud de Miquelon. L'identification est rapide. Une amie reconnaît les corps des auto-stoppeuses.

Le 16 octobre, Duguay et Veilleux sont emmenés en cellule avec un troisième lascar pour une bagarre qui a fini dans le sang. De la cellule, Duguay et Veilleux interpellent l'agent Claude Brassard et lui font des aveux concernant les meurtres. Ils mentionnent Beauregard, et permettent aux policiers de retrouver l'arme du crime, jetée près du moulin à scie où la récente bagarre a eu lieu.

Pendant le procès, Veilleux sera très volubile quant à la nuit d'enfer qu'ils ont fait passer aux deux filles, dont ils ne connaissaient même pas les noms. Beauregard et Duguay, hostiles, choisissent de se taire. Au terme de l'enquête, le verdict tombe sans hésitation : Roger Duguay, Robert Beauregard et André Veilleux sont formellement accusés de meurtre.

*

Veilleux a-t-il cherché à minimiser son rôle dans l'affaire, en espérant faire porter le gros de l'accusation sur les deux coaccusés ? Au procès, son récit semble truffé d'incohérences et de trous. La seule chose dont on puisse être certain, c'est que, dans la nuit du 12 au 13 octobre 1973, deux adolescentes ont péri de la façon la plus gratuite et la plus crapuleuse qui soit.

LA MAFIA SOUS LES PROJECTEURS

MONTRÉAL, 1967-1975

Nombre de végétariens évoquent la cruauté du commerce de la viande — de l'élevage industriel au massacre des animaux — pour justifier leurs choix alimentaires. Si d'aventure vous en rencontrez un qui avance que les carnivores ne savent tout simplement pas ce qui se trouve dans leur assiette, vous pourrez louer son intuition... ou deviner qu'il se souvient de la Commission d'enquête sur le crime organisé (CECO) qui, dans les années 1970, apporte un éclairage précieux sur ce qu'on a appelé le « scandale de la viande avariée », grâce auquel il fut révélé que la cruauté s'exerçait aussi à l'endroit du consommateur...

Ce scandale, c'est d'abord des milliers et des milliers de hot-dogs et de hamburgers servis aux visiteurs des installations d'Expo 67 : ils sont faits avec de la viande pourrie. C'est aussi un incident spectaculaire qui se produit aux Jeux de Québec en 1973, où une quarantaine d'athlètes furent empoisonnés. Devant l'épidémie de maux digestifs, la direction des Jeux dut suspendre ses activités... La viande avariée était également servie dans les supermarchés, les charcuteries, les salaisons : saucisses à hot-dog, saucissons de baloney — bourrés de colorants et d'épices pour en cacher l'odeur — viande de carcasse mêlée au bœuf haché, pepperoni livré massivement dans les pizzerias... Les enquêteurs qui se souviennent de ce scandale sont tous d'accord sur une chose : de la charogne, le Québécois moyen en a mangé beaucoup, et longtemps.

La CECO est créée en septembre 1972. Elle tâche de faire la lumière sur les rapports entre le crime organisé et les pouvoirs économiques et politiques, dans trois domaines en particulier : le monde du jeu, le commerce de la viande avariée, et le fameux clan Dubois, un groupe qui fait régner la terreur dans le quartier Saint-Henri. Ses activités se déroulent à huis clos. Quand vient le temps d'aborder le commerce de la viande impropre à la consommation, le juge Jean Dutil, qui préside à la commission depuis 1974, a une brillante idée : il permet aux radios et aux télévisions de diffuser les audiences. Du jamais vu ! Pour les spectateurs qui se massent devant le drame judiciaire, ce n'est pas seulement la teneur réelle de ce qu'il a mangé qu'il découvre enfin : il comprend aussi ce qui contamine l'assiette du pouvoir politique.

Une profession peu ragoûtante est ainsi mise au jour : celle des « charognards », ces individus qui réquisitionnent les animaux malades ou morts dans les fermes, afin de les entreposer dans leurs glacières jusqu'à ce que les « Italiens » viennent les chercher. Dans ce trafic florissant où tout se paie en comptant, William « Willie Obie » Obront joue un rôle d'importance. Ce boucher qui tient un petit commerce au marché Atwater est aussi, et surtout, le « comptable » chargé de blanchir l'argent de Vic Cotroni et sa bande. Homme de contacts haut placés et généreux souscripteur à la caisse électorale libérale, Obront a obtenu le privilège de s'occuper de l'entrepôt à viande de l'Expo 67. Un des charognards dira y avoir stocké à lui seul un demi-million de livres de viande avariée.

Ce trafic fait jaser depuis la fin de la Seconde Guerre mondiale — époque où la viande était rationnée. À la fin des années 1960, des vétérinaires tâchent d'attirer l'attention du gouvernement sur l'étendue du problème, et sur les menaces reçues par les inspecteurs du ministère de l'Agriculture qui refusent les pots-de-vin. Le Ministère — qui, par ailleurs, manquait d'effectifs — s'est apparemment contenté de faire la sourde oreille, ou de considérer le problème comme marginal.

Le public québécois découvre le versant obscur de noms familiers, comme la Federal Packing, un distributeur très important qui s'est compromis dans l'affaire. Mais il apprend aussi de nouveaux noms : celui de l'entreprise Reggio Food, par exemple, ou encore d'Armand Courville, qui est le principal propriétaire de celle-ci avec Vincent Cotroni et Paolo

Violi. La Reggio Food fait dans le commerce de la charogne : la fournisseure et empoisonneuse de 40 athlètes aux Jeux de Québec de 1973, c'est elle. Robert Massey et Produits alimentaires G.M. ont quant à eux essayé de s'associer à Courville pour une vaste opération visant le marché du hamburger.

William Obront appréhendait depuis longtemps ce scénario catastrophe. Il est rapatrié du Costa Rica par la GRC, afin de comparaître aux audiences de la commission. Son refus de le faire lui vaut deux ans de prison.

L'une des figures qui se démarque dans cette affaire est celle de Normand Toupin, ministre de l'Agriculture, qui patauge dans l'incohérence lorsque l'opposition le presse de questions à l'Assemblée nationale. L'estampille « approuvé Québec » a perdu toute crédibilité : on lui préfère désormais « approuvé Canada ». Les ventes de bœuf diminuent, la clientèle se tourne vers la volaille et le poisson, et les restaurateurs de la ville lancent une publicité disant que le juge Dutil a évalué leur établissement suffisamment digne de confiance pour aller y souper...

Quand, le 5 juin 1975, le ministre Toupin présente un projet de loi destiné à resserrer le contrôle des produits agricoles et des aliments, la réaction ne se fait pas attendre. On interprète ces mesures comme un aveu implicite du laisser-aller qui a jusque-là régné au gouvernement, d'autant plus qu'il est prouvé que la Police de l'Ontario avait avisé le ministre d'un réseau interprovincial faisant le commerce de viande avariée. Soulignant l'inertie du ministre, René Lévesque demande sa destitution, et le Parti québécois formule ses propres recommandations pour protéger les détenteurs de petits abattoirs qui ne se sont pas compromis dans l'affaire. À la fin de juillet, Normand Toupin est muté à un autre poste : celui de ministre des Terres et Forêts.

Les audiences de la CECO se terminent le 26 juin 1975. Le 16 octobre de la même année, elle dépose son rapport préliminaire. Le public a non seulement vu l'omertà en action — mandés à la commission, les Obront, Cotroni, Dubois et autres chefs du crime organisé restent silencieux comme des carpes —, mais il a aussi entendu le témoignage de commerçants et de constructeurs menacés, de trafiquants de charogne, et même de tueurs à gages. De nombreux extraits de conversations téléphoniques ont été diffusés, l'écoute électronique policière étant alors en plein essor.

Le milieu politique comme celui du crime ont tous deux été éclaboussés. Les commissaires démontrent, en outre, que les trois paliers du gouvernement — fédéral, provincial et municipal — étaient, d'une quelconque manière, au courant de ce vaste et répugnant trafic. Leur attitude est qualifiée de laxiste et d'inefficace : le ministère de l'Agriculture est particulièrement blâmé pour son « laisser-aller » et son « incurie administrative [...] laissant des récupérateurs d'animaux morts ou malades [les] vendre à bon prix pour consommation humaine ».

*

Vincent Cotroni, Paolo Violi, William Obront et Nicholas Di Lorio se sont tous mérité une peine d'emprisonnement pour leur refus de témoigner à la commission. Un an de pénitencier, c'est sans doute peu en regard de la mauvaise publicité dont ils ont fait les frais et, surtout, de la fin de leur anonymat. Un nettoyage du monde interlope ne devait pas tarder.

Il aurait sa victime désignée en la personne de Paolo Violi (et sa famille). En effet, la Commission révèle que ce parrain de Saint-Léonard, qui menait des affaires dans sa *gelateria* et son bar de la rue Jean-Talon, se trouvait sous écoute électronique depuis six ans. En passant pour un électricien doté d'un faux casier judiciaire, Robert Ménard, un agent d'infiltration de la Sûreté du Québec, a réussi à louer un appartement au-dessus des commerces de Violi, où il a installé ses micros. La quantité phénoménale d'enregistrements est des plus embarrassantes pour le milieu interlope, notamment pour Vic Cotroni, qui avait commencé à lui céder la direction de la mafia canadienne. Le milieu se détourne de Violi, et une guerre de succession commence entre les clans sicilien, représenté par Nicolo Rizutto, et calabrais, touché au cœur par la négligence de Violi.

Un jour de janvier 1978, Violi est exécuté à la sicilienne : il reçoit une balle en plein visage, alors qu'il joue une partie de cartes dans son commerce, le Reggio Bar — ce meurtre a été approuvé par la famille Bonnano, de la mafia américaine. Le père et les frères de Violi le suivent bientôt dans la tombe, assassinés dans des circonstances similaires. Il fallait conclure le processus de nettoyage, éliminer tout élément familial susceptible de vouloir se venger.

La mafia reprend ses affaires et ses guerres, regagnant une partie de l'ombre qu'elle avait perdue.

LES DERNIERS JOURS DE RICHARD BLASS

MONTRÉAL, 1975

Il se trouve bien du beau monde au parloir ce jour-là ; privilège des centres de détention à sécurité maximale, où on n'enferme pas n'importe qui ! Jocelyne Deraîche, l'ancienne blonde de Jacques Mesrine, est venue rendre visite à Jean-Paul Mercier, l'ancien compagnon d'armes du gangster. Edgar Roussel, Robert Frappier et Pierre Vincent sont parmi les pensionnaires présents. Richard Blass, dont c'est l'anniversaire, est en grande conversation avec son fils.

Les choses se déroulent normalement, jusqu'à ce qu'on fracasse la vitre qui sépare les visiteurs des prisonniers. Dans le sac de Jocelyne Deraîche, une cargaison d'armes : les prisonniers s'en emparent à toute vitesse et décampent — libres, enfin ! Une voiture les attend à l'extérieur.

Pour la troisième fois, Richard Blass s'évade de prison, et il n'a pas de temps à perdre. « Le Chat » se doute peut-être qu'il en est à sa neuvième vie, et que celle-ci sera brève. Blass s'est mérité ce surnom à force d'échapper à la mort de façon miraculeuse. La police et la mafia le détestent toutes les deux, et il le leur rend bien.

*

À 23 ans, Blass a épousé la cause du gang du centre ; en d'autres mots, celle des truands francophones de Montréal, qui s'opposent à la mafia italienne. Il s'est vite démarqué par son agressivité et son ambition. Dans le milieu, on n'adresse pas de menaces directes à Cotroni et à ses associés, mais Blass n'en a cure, et ses menaces sont prises au sérieux. Vive l'indépendance ! Vive le truand québécois libre !

Fatiguée de le voir semer des bagarres dans ses boîtes de nuit et d'entendre ses menaces, la mafia a maintes fois tenté de se débarrasser de lui.

Willie Pomerleau, allié connu de la mafia italienne et gérant du Tabouret, essaie de le tirer à la tête ; Blass se protège de son avant-bras, qui reçoit bien la balle. Peu après, le 20 août 1968, Richard Blass lance des tueurs aux trousses des Italiens, au beau milieu des badauds de la Plaza St-Hubert.

Le 10 septembre 1968, il échappe de justesse à un incendie criminel expressément conçu pour avoir sa peau. C'est l'attentat du 10 octobre suivant qui le fait entrer pour de bon dans la légende : pris dans un guet-apens alors qu'il se rend à un atelier de réparation de voitures avec son comparse Claude Ménard, il échappe à l'assaut de trois tireurs qui, criblant la voiture de balles, réussissent à lui en loger quatre dans la tête. Par une chance incroyable, aucune n'a affecté ses fonctions vitales, et Blass est sur pied quelques jours plus tard !

Quand l'enquête préliminaire est entamée, « Le Chat », la tête toujours enrubannée, examine longtemps les trois suspects : Willie Pomerleau, Rocco Girolamo et Jacques Coe. À la barre des témoins, il déclare ne reconnaître aucun des tireurs. Le public, pantois, assiste donc à leur libération. Pourquoi Blass aurait-il laissé la justice punir ces truands alors qu'il pouvait avoir la satisfaction de s'en occuper ?

Hélas pour lui, l'attente serait longue. Elle menacerait même de s'éterniser. À la suite d'un *hold-up* raté qui dégénère en véritable chasse à l'homme, Blass est envoyé à Bordeaux. Il s'en évade 10 mois plus tard : un des prisonniers du fourgon qui l'amène au Palais de justice se révèle armé. Le lendemain, grâce aux informations d'un appel anonyme, la police remet le grappin sur lui au cours d'une rafle chaotique. Le tribunal n'apprécie pas l'arrogance du criminel, et surtout pas la gifle qu'il donne, en pleine salle d'audience, au détective qui l'a traîné par les cheveux lors de son arrestation.

Blass moisit au pénitencier Saint-Vincent-de-Paul. La Couronne menace de porter contre lui une accusation de criminel d'habitude, qui garantit la prison à perpétuité. Il demeure incarcéré plus de cinq ans avant sa deuxième évasion : un groupe de prisonniers dont il fait partie se cache dans les chargements de linge sale de la buanderie. Nouvel appel anonyme, nouvelle descente digne d'un western. Blass réintègre le « pen » 24 heures plus tard. Il y reste encore quatre mois, jusqu'au 23 octobre 1974, où il s'évade une dernière fois grâce au coup de pouce des deux compagnons de Mesrine.

Cette fois, il n'est plus question de se faire reprendre bêtement. Richard Blass cherche à régler le plus de comptes, le plus rapidement possible. Le nombre de ses faits d'armes s'escalade, celui de ses victimes aussi. Sa vie devient une succession de vols à main armée, de menaces et de *scoops* livrés à la presse — il envoie même des photos récentes de lui au *Journal de Montréal* et au *Allô Police,* afin qu'ils rafraîchissent leurs archives !

Le 30 octobre 1974, Blass se présente au Gargantua, un club où il a ses habitudes. Il tient une arme à feu dans chaque main. Alors qu'il déclare vouloir faire la caisse, il n'a d'yeux que pour Raymond Laurin et Roger « 7 Up » Lévesque, deux anciens compagnons qui, d'après lui, l'ont dénoncé. Blass prend le contenu de la caisse. Une fois cette formalité faite, il s'avance, les fusils pointés vers leur table. « Toi, mon hostie de 7 Up, tu m'as fait moisir en dedans pendant six ans », aurait-il dit avant de les abattre, tous les deux.

Quelques jours après, il écrit une lettre au solliciteur général, Warren Allemand, pour dénoncer la situation des prisonniers de l'Unité spéciale de correction du pénitencier Saint-Vincent-de-Paul. Il veut que les journalistes s'y présentent, qu'ils rendent publiques les conditions de détention inhumaines qu'il a dû subir dans cet endroit. « Nous deviendrons sûrement les plus grands tueurs que Montréal [n'aura] jamais connu si Allemand nous y pousse », écrit-il. Son avocat, Frank Shoofey, déclare à la télévision que ces menaces sont à prendre au sérieux. Quand les journalistes se présentent au pénitencier — ils ne pourront ni photographier les lieux ni enregistrer quoi que ce soit — et que rien ne change aux yeux de Blass, celui-ci s'adresse de nouveau aux journaux : « Attendez les prochains jours, vous aurez de la bonne copie à rédiger. »

Le 24 décembre, après avoir fêté la veillée de Noël au Fiesta Bar-BQ, il emmène les frères Roger et Serge Côté avec lui ; on les retrouve abattus. Le 21 janvier 1975, parce que son frère Mario s'est compromis dans une affaire d'incendie criminel, il se présente au Gargantua dans le but d'éliminer deux témoins. Avec Fernand Beaudet, son complice, il abat d'abord le gérant, un ancien policier du nom de Réjean Fortin, puis il tire sur un client qui essaie de prendre la fuite. Une fois la peur bien installée, Blass sélectionne ceux qui peuvent partir et ceux qui doivent rester. Il fait entrer une dizaine de personnes dans la chambre froide, où il place également la dépouille du gérant et le client blessé, et en asperge l'intérieur avec de l'essence. Il cadenasse la pièce, répand de l'essence ailleurs dans le bar, allume l'incendie. La légende raconte qu'avant de partir, Blass et Fortin auraient pris le temps de boire une bière pour s'assurer que le feu ait bien pris. Pour les pompiers et les policiers dépêchés sur les lieux, la découverte des 13 corps calcinés et fondus sera un choc. Un nouveau meurtrier de masse est né.

Sur les 20 personnes qu'il sera accusé de manière posthume d'avoir tuées, Blass en aura liquidé 13 d'un coup ce soir-là, dans des conditions particulièrement atroces.

Il ne lui reste alors que quatre jours à vivre.

*

Richard « Le Chat » Blass est tué par les policiers le 25 janvier 1975, dans un chalet de Val-David où il s'était réfugié.

Blass s'y trouve alors avec sa petite amie, Lucette Smith, ainsi qu'avec Benoît Vinet, un ami, et sa copine. Ils fomentent, à ce qu'on raconte, un coup « plus écœurant encore » que l'incendie du Gargantua, où la sélection des victimes s'était faite un peu au hasard. La prochaine fois, Blass les ciblera mieux. Le coup est prévu pour la Saint-Valentin.

La descente policière a lieu passé 4 h du matin. Réveillé par Lucette qui dit entendre des bruits, Blass descend au rez-de-chaussée, où il est accueilli par les rafales de deux semi-automatiques. Il reçoit 27 balles en plein thorax.

Le brigand fait une dernière fois la une, le corps criblé de balles, une arme à la main droite — alors qu'il était gaucher. Blass avait-il vraiment été surpris armé, comme l'affirme la police ? L'évidence, c'est qu'il s'était sans doute trop moqué des forces de l'ordre pour ne pas s'exposer, tôt ou tard, au tir nourri d'agents trop expéditifs.

« Le Chat », en épuisant ses neuf vies, entrait de plein pied dans la légende.

UN TUEUR EN SÉRIE À SHERBROOKE À LA FIN DES ANNÉES 1970?

SHERBROOKE, 1977-1980

Les meurtres à caractère sexuel représentent un faible pourcentage des homicides au Québec. Comme le veulent les probabilités, ils se produisent en majorité dans la région la plus peuplée de la province, soit Montréal et sa banlieue.

À la fin des années 1970 et au tout début des années 1980, lorsque de jeunes femmes disparaissent, que d'autres échappent de peu à ce qu'elles considèrent être des tentatives d'enlèvement, et que plusieurs sont victimes d'agressions sexuelles, bien des gens de la région de Sherbrooke commencent à croire qu'il y a un prédateur sexuel doublé d'un meurtrier dans les parages. Les cas non résolus de Louise Camirand, de Manon Dubé et de Theresa Allore présentent tant de similitudes que des proches, des journalistes et des enquêteurs privés croient qu'il y a un lien à tisser entre eux, qu'un seul et unique criminel en est peut-être le responsable.

*

Louise Camirand, une jeune femme de 20 ans, est une recrue des Forces armées canadiennes. Elle vit sur la rue Bryant à Sherbrooke, travaille à temps partiel aux archives de l'hôpital, et s'occupe des préparatifs de son mariage, qui doit avoir lieu au mois de mai. C'est une jeune femme sans histoire. L'après-midi du 19 mars 1977, elle quitte son appartement et se rend à pied au dépanneur de l'intersection des rues King Ouest et Jacques-Cartier. C'est là qu'elle est vue pour la dernière fois.

Son corps est découvert la semaine suivante, dans un champ près de Magog. Louise Camirand est entièrement nue. Elle porte les marques d'une sauvage agression sexuelle : non seulement a-t-on abusé d'elle, mais son bassin porte des traces de coups donnés avec un objet contondant, peut-être des bottes renforcées de caps d'acier. La corde qui a servi à l'étrangler est toujours nouée à son cou. Quelques-uns de ses vêtements sont à ses côtés dans la neige, mais sa bourse et ses sous-vêtements sont introuvables. Des traces de pneus sont visibles, mais la police ne parvient pas à identifier la voiture.

*

Un vendredi soir de janvier 1978, Manon Dubé, dix ans, et sa sœur Chantal, huit ans, rentrent à pied chez elles en traversant la cour de l'école Saint-Joseph. Chantal a froid et presse le pas. Elles ne sont qu'à quelques centaines de mètres de la maison. Elle se retourne et voit sa grande sœur la suivre en glissant sur le sol glacé de la cour d'école. Mais Manon ne se rendra jamais chez elle.

Son corps est retrouvé le 25 mars 1978 dans un ruisseau près d'Ayer's Cliff, alors que la neige commence à fondre. L'autopsie pratiquée sur le petit corps, déjà en état de décomposition avancé, ne peut démontrer si Manon a été victime d'une agression sexuelle, mais elle prouve qu'elle n'a subi aucune fracture et qu'elle n'a pas reçu de projectile. Une seule marque est visible, sur son front. Peut-être a-t-elle été causée au moment où on l'a projetée dans une voiture ? Ou alors dans le ruisseau ? Ce crime laisse les enquêteurs perplexes. Ils vont jusqu'à laisser entendre à la famille que Manon aurait pu être victime d'un accident de la route, et que le chauffard, pris de panique, se serait débarrassé du corps.

*

Theresa Allore, brillante jeune femme de 19 ans, disparaît quant à elle le soir du 3 novembre 1978, une chaude soirée d'automne. Elle a promis à une amie d'écouter avec elle les plus récents disques de rock. Étudiante au Champlain Regional College de Lennoxville, Theresa habite dans le dortoir d'une résidence affiliée au Collège, mais située un peu plus loin, à Compton : le King's Hall, un superbe bâtiment du XIXe siècle qui a été une école anglicane pour jeunes filles.

Vive et pétillante, Theresa pratique des sports extrêmes comme le saut en parachute et l'escalade. Elle a confiance en la vie, et c'est la raison pour laquelle elle n'a pas peur de faire du stop, comme de nombreux étudiants de la région, d'ailleurs : les navettes entre les dortoirs et le campus sont si peu nombreuses que le guide scolaire comporte même une section de conseils pour les auto-stoppeurs... Ce soir-là, Theresa a-t-elle levé le pouce devant la mauvaise voiture ? On la voit pour la dernière fois à King's Hall, vers 21 h.

Comme la petite Manon Dubé, elle est retrouvée au printemps, dans un ruisseau, plus précisément le 13 avril 1979, un Vendredi saint. L'analyse du corps décomposé en arrive sensiblement aux mêmes conclusions : on ne peut prouver le viol, on ne discerne aucune marque apparente de coups ou de blessures. Pas de piste en vue. Les jeunes du Collège ayant la réputation d'être fêtards, les policiers spéculent et laissent entendre à la famille que Theresa aurait pu être balancée là par des amis, après une surdose : ils auraient été terrorisés de voir leur amie inconsciente. Mais l'auraient-ils laissée comme cela, en sous-vêtements, dans un champ à un kilomètre du Collège, par une nuit de novembre ? Theresa n'était pas reconnue pour ses abus, mais bien pour ses excellents résultats scolaires. La thèse de la surdose ne tient pas la route.

Plusieurs faits troublants apparaissent peu à peu aux membres des familles, qui tentent d'élucider elles-mêmes le mystère des crimes. Une semaine après la découverte de Theresa, son portefeuille est trouvé par un fermier sur le chemin McDonald, un bout de rang près de la route secondaire 143. L'objet de cuir n'est pas usé comme il devrait l'être après avoir passé un hiver dehors. Quelqu'un l'aurait-il déposé là après avoir entendu qu'on avait découvert le corps ? Quelques jours plus tôt, des vêtements correspondant à ceux qu'elle portait le jour de sa disparition sont remarqués par des chasseurs : ils ont été déposés sur un billot de bois, dans un boisé tout près de l'endroit où le corps de Louise Camirand avait été retrouvé en 1977.

Le fermier du chemin McDonald racontera que sa propre fille avait échappé à un individu dangereux un mois seulement avant la disparition de Theresa : alors qu'elle promenait son chien en plein jour, un homme a surgi de sa voiture et s'est mis à courir en sa direction. Ce n'est pas exactement la manière normale de séduire une jolie fille de 18 ans... Celle-ci a couru se cacher dans la pommeraie, espérant semer son assaillant dans un terrain qu'elle connaissait bien. Par un hasard inouï qui lui a peut-être sauvé la vie, une voiture de la police de Coaticook passait sur les entrefaites. Voyant qu'un homme courait à toute vitesse, les policiers l'ont intercepté, pour ensuite le relâcher : ils ne pouvaient rien lui reprocher, aucun crime n'ayant été commis... encore.

Ce chemin McDonald fait un coude au nord et devient le chemin Belvédère, lequel continue jusqu'à Sherbrooke et mène directement à l'intersection où la petite Manon Dubé a disparu, au coin des rues Craig et Union. L'intersection King Ouest et Jacques-Cartier, où Louise Camirand a été vue vivante pour la dernière fois, est à moins d'un kilomètre de là. Et on atteint le village d'Ayer's Cliff, près duquel le corps de Manon Dubé a été retrouvé, en empruntant la route 143 vers le sud...

De fait, de nombreux cas d'agressions sexuelles ou d'enlèvements ont été rapportés aux autorités entre 1977 et 1980 dans ce secteur. Ces cas, si graves soient-ils, ne se sont heureusement pas terminés en assassinats.

Les recherches des proches, menées avec l'aide d'un enquêteur américain spécialisé en géoprofilage, ont permis d'établir que la proximité des lieux d'enlèvement et de découvertes des corps dans un laps de temps aussi court laisse entrevoir un *modus operandi*. Les indices sont à ce point concordants qu'il est fort possible qu'un agresseur ait agi seul, à plusieurs reprises. Quelques suspects ont bien été interrogés en rapport à cette affaire, surtout des violeurs récidivistes emprisonnés pour d'autres cas, mais personne n'a admis ces trois crimes en particulier. Sont-ils l'œuvre d'un tueur en série dont on ignore l'identité, et qui court peut-être toujours ? Les enquêteurs de la Sûreté du Québec ont jusqu'ici rejeté cette théorie, préférant croire qu'il s'agissait d'incidents non reliés. Les tristes cas de ces trois victimes sont donc encore ouverts, 35 ans après leur décès.

LES ANNÉES
1980

LA PLUS FUNESTE DES PLAISANTERIES

CHAPAIS, 1980

Les individus tenus publiquement responsables de grands crimes affichent souvent un masque d'inexpressivité troublante quand vient le temps d'affronter les caméras des journalistes et le regard des quidams qui se sont déplacés pour assister à leurs procès. Ces accusés n'ont-ils pas de cœur ? Ne ressentent-ils pas le moindre remords ? Quand un psychopathe sanguinaire se trouve au banc des accusés, cette absence d'émotion s'explique d'elle-même : le manque total d'empathie fait partie de leur nature même. C'est cette insensibilité qui leur permet de frapper encore et encore, à moins qu'on les jette en prison. Mais si un soir, au cours d'une fête, l'idée d'une blague vous venait à l'esprit sous l'influence de l'alcool ? Allumer des guirlandes de sapin avec un briquet, par exemple — c'est une très, très mauvaise idée, oui, mais vous n'avez pas toute votre tête... Si vous constatiez, à peine dégrisé, que votre geste a provoqué l'un des incendies les plus meurtriers du Québec, comment réagiriez-vous ? Pendant qu'aux nouvelles, on compterait les enfants orphelins, les parents endeuillés, les époux séparés et les cadavres calcinés dans un décor digne d'un charnier, verseriez-vous au moins une larme devant ce brasier de souffrance que vous avez allumé ?

Avant que son nom ne devienne synonyme de tragédie la veille du 1er janvier 1980, Chapais, alors forte de 3500 âmes (elle n'en compte plus que la moitié aujourd'hui), n'était qu'une petite ville minière sans histoire, au nord de Chicoutimi et du 49e parallèle, dans la circonscription d'Ungava. C'est le genre de communauté où tout le monde a l'impression de bien se connaître et où, chaque dimanche, le Chapaisien évalue la moralité de son semblable selon sa présence ou son absence à la messe.

À Chapais, on vit surtout de l'industrie minière : la Falconbridge Copper Limited, qui y exploite une mine depuis les années 1950, en sera le principal moteur économique jusqu'à sa fermeture, en 1991. Vers 1955, l'entreprise a aussi ouvert, sur le boulevard Springer, le club social Opemiska : un bâtiment de bois d'abord conçu comme une salle d'entraînement, mais qui est devenu une salle de réunion. Avec sa capacité d'accueil de 345 personnes, sa scène, ses loges, son vestiaire et sa cinquantaine de tables, c'est l'espace parfait pour les concerts, bingos et soirées dansantes, ou encore pour la présentation de dessins animés et de documentaires de l'ONF.

En cette fin de l'année 1979 qui allait tragiquement marquer les mémoires, l'un des événements les plus attendus est la beuverie du jour de l'An qu'organise le Club des Lions depuis une douzaine d'années : on achète ses billets d'avance, on se réunit entre amis, et on compte s'amuser ferme avant de respecter les résolutions prises pour l'année qui commence...

C'est Normand Trudel, le président du Club, qui organise l'événement. La Falconbridge lui a, comme d'habitude, offert un rabais sur la location de la salle : 35 $ au lieu des 60 $ habituels. L'affaire est bonne.

En décembre, l'inspecteur du Service de sécurité incendie a bien remarqué les guirlandes de sapin accrochées un peu partout, notamment cette arche d'un pied d'épaisseur qui fait le tour de l'entrée principale... Mais pas la peine de s'en faire ; on allait certainement les enlever bientôt.

La fête bat son plein. On boit, on parle, on danse. Au plus fort de la soirée, 330 fêtards attendent ensemble le coup de minuit. Cinq, quatre, trois, deux, un : BONNE ANNÉE ! Les Chapaisiens s'embrassent, joyeux. La bière coule à flot, le volume de la musique augmente. Même les réticents se mettent à danser ! Quelques personnes doivent quitter, liées par des obligations, et laissent derrière elles les fêtards plus déterminés.

La fête se déchaîne, jusqu'à 1 h 15 environ. Jusqu'à ce qu'un bras se tende vers les sapinages de l'arche, à l'entrée...

Le jeune homme qui s'apprête à commettre l'irréparable s'appelle Florent Cantin. Il a 21 ans et est chômeur, comme bien des jeunes de sa génération. Sur un coup de tête, pour plaisanter, le jeune homme porte son briquet en direction de l'arche de branchages à l'entrée. Après quelques essais infructueux, une flamme s'allume. Cantin dira qu'il voulait seulement faire semblant de mettre le feu, mais les guirlandes qui sèchent depuis des semaines s'allument pour de vrai, en crépitant comme des feux de Bengale. L'arche est bientôt le foyer de flammes agressives, de véritables bêtes sauvages relâchées après un long emprisonnement. Deux braves invités tâchent d'éteindre le brasier avec des extincteurs, pendant qu'une bonne partie des fêtards continuent à danser ou contemplent ce début d'incendie qu'ils prennent pour une attraction. Mais lorsqu'on ouvre la porte de l'entrée principale, une grande bouffée d'air pénètre les lieux et vient gonfler les flammes qu'on commençait à peine à refouler : elles gagnent le plafond et les banderoles suspendues, qui retombent sur les invités, dont les vêtements prennent feu à leur tour...

En quelques instants, le tableau festif s'est transformé en une prison cauchemardesque dont il faut s'échapper par tous les moyens. Ce n'est pas chose facile : les fenêtres ont été barrées pour décourager les vandales, et le foyer de l'incendie empêche quiconque d'atteindre l'entrée principale sans se transformer en torche humaine. Mais la panique elle-même est le plus grand ennemi. Devant les deux portes d'évacuation que l'on trouve à gauche et à droite de la scène, des noyaux d'individus affolés s'amassent, gesticulant avec la force désespérée de ceux qui comprennent soudain qu'ils vont mourir. Toute considération pour autrui a disparu. On ne songe qu'à se sauver le premier du four crématoire. Dans la masse compacte qui s'écrase et pousse en vain contre la porte de gauche, quelqu'un a la présence d'esprit d'enfoncer la barre de sécurité afin que s'ouvre la porte. Mais la cohue est si dense qu'elle forme un bouchon humain : les gens se grimpent les uns sur les autres pour tenter de sortir. La porte se révélera infranchissable pour un grand nombre d'entre eux. Pris dans des sables mouvants humains, les moins forts ou ceux qui s'évanouissent se trouvent aspirés vers le plancher et se font piétiner.

De l'extérieur, la scène n'est pas moins macabre. Parmi les secouristes et les policiers, des citoyens terrifiés ont accouru sur les lieux pour chercher leurs proches : des corps s'effondrent dans la neige ou s'y roulent pour éteindre les flammes qui les grugent ; des rescapés dont pendent des lambeaux de chair fondue se lamentent, hagards. Un citoyen se fait appeler à l'aide par une personne nue, étendue dans la neige : il ne s'aperçoit pas qu'il s'agit d'une ancienne amie d'école tant elle est méconnaissable.

Dans l'odeur entêtante de la chair qui brûle, les pompiers prendront des heures à refouler les flammes.

Aux petites heures du matin, le toit du Club Opemiska s'effondre ; le feu est réduit à l'état de braises. Un pénible travail de déblayage commence. Les ruines cachent une horrible découverte : près de la porte arrière gauche, un entassement de cadavres, haut de quatre pieds, assemble une quarantaine de victimes emportées par le feu. Les corps sont si carbonisés que, dans le garage municipal de Chapais — faisant office de morgue de fortune —, c'est par leurs accoutrements et leurs bijoux que leurs proches, en pleurs, devront les identifier.

On dit qu'aucun habitant de Chapais n'a été épargné, de près ou de loin, par le tragique incendie du club Opemiska. Les pertes s'élèvent à 48 décès et à une cinquantaine de blessés — la plupart dans un état critique ; le feu a rendu orphelins de leur père, de leur mère, ou de leurs deux parents près d'une quarantaine d'enfants. Normand Trudel, l'organisateur de la fête, y perd sa femme, deux sœurs, ainsi que deux beaux-parents.

Lorsque commence l'enquête du coroner, le 14 janvier 1980, ils sont plus de 250 personnes, dont la mère et les deux sœurs de Florent Cantin, à écouter celui-ci répéter que son unique intention était de faire une farce. Les journaux rapportent que son témoignage est livré dans une apparente absence d'émotion.

UN MEURTRE, DES EMPREINTES ET DES AVEUX... PLUS DE 20 ANS PLUS TARD !

MONTRÉAL, 1981

Germain Derome habite Brossard, au sud de Montréal. Il vit dans un bungalow brun et anonyme avec son ami de cœur, le comédien Julien Bessette. Propriétaire d'un salon funéraire, l'homme de 55 ans ne s'attend certainement pas à rentrer à son lieu de travail les pieds devant...

Peu avant 23 h le samedi 18 avril 1981, une jeune femme blonde et mince se présente au domicile des deux hommes. Elle veut voir monsieur Derome et prétend mener un sondage sur les femmes employées dans les salons funéraires. Il est bien tard pour ce genre de choses, mais Julien Bessette invite tout de même la dame à entrer et à passer au salon, où Derome la reçoit. Le comédien se retire dans la cuisine avec Santa, leur grand berger allemand. Il écoute la télévision.

Derome va chercher un verre d'eau à la cuisine pour la jeune femme, laquelle, quelques instants plus tard, se rend à la salle de bain. Lorsqu'elle en ressort, elle tient une arme semi-automatique de calibre .22 et fait feu sur Derome, qui s'effondre aussitôt. Julien Bessette est paniqué. Il s'avance dans le corridor en brandissant une chaise berçante dans la direction de la meurtrière : « Qu'avez-vous fait ? Mais vous êtes folle ! » Elle tire. Le premier projectile rate le comédien, mais blesse le berger allemand à la cuisse. Un nouveau coup de feu fait voler en éclats un pan de la chaise de bois ; une éclisse blesse Bessette au front. La jeune femme sort en vitesse, s'engouffre dans la voiture qui l'attend en face de la maison et disparaît.

La police est dépêchée sur les lieux. « Vite. Elle l'a tiré ! », hurle Bessette. On transporte Derome à l'hôpital, où son décès est constaté. Entre-temps, les enquêteurs commencent leur travail : ils photographient la scène du crime et cherchent des empreintes digitales. Il n'y a rien à signaler dans la salle de bain, mais des traces de doigts sont relevées sur deux objets du salon : le verre d'eau et un calepin qu'avait amené l'agresseur, sur lequel est écrit le nom de la victime et sa profession. Les policiers croient avoir de solides indices.

Julien Bessette donne sa version des faits et se soumet au test du polygraphe, afin d'être placé au-dessus de tout soupçon. L'histoire fait les choux gras des journaux. Une tentative de meurtre sur un comédien populaire, l'assassinat de son ami de cœur, une suspecte en fuite... !

Les enquêteurs n'ont toutefois aucune piste. Le policier Brunet, technicien en scène de crime, fait analyser les empreintes qu'il a prélevées sur les objets, et les compare à celles de Derome, prises à la morgue. Sur le verre, on trouve ses empreintes ainsi que celles d'une personne non identifiée. Même chose sur le calepin. Les empreintes inconnues sont analysées à l'aide des banques de la GRC, mais les correspondances sont insuffisantes pour qu'on en identifie le ou la propriétaire. Le cas reste ouvert.

*

Brunet est un homme persévérant. Chaque fois que des avancées technologiques améliorent le système d'identification des empreintes, il renvoie les pièces à conviction pour analyse. Des dactylogrammes, on passe aux disques optiques. En 1982, en 1983, en 1988, en 1992 et en 1999, chaque nouvelle évaluation tombe à plat. Il faudra attendre l'année 2000 pour que l'analyse associe un nom à l'une des trois empreintes relevées. Une certaine Christine Lepage a été identifiée. Fichée depuis 1974 pour une histoire de vol à l'étalage, elle a également été inculpée en 1982 pour un vol de carte de crédit. Pourquoi le système n'a-t-il pas reconnu ses empreintes plus tôt ? On ne sait pas si seules les informations amassées pour des crimes plus sérieux étaient disponibles, ou si la technologie de reconnaissance avait ses limites avant la numérisation. Quoiqu'il en soit, la suspecte s'en tire sans souci depuis 20 ans.

Christine Lepage est placée en filature. De février à octobre 2001, on surveille de près les faits et gestes de la résidante de Morin-Heights, qui voyage quotidiennement à Montréal, où elle travaille dans une cafétéria. En apparence, rien ne permet de suspecter qu'elle fréquente des criminels ou qu'elle commet elle-même des actes répréhensibles : c'est une femme d'âge mûr, sans histoire, qui a une fille dans la vingtaine et qui fréquente un professeur d'université. Cependant, son emploi en cafétéria ne dure pas, et elle est contrainte de déménager à Anjou, où elle vit sans payer de loyer dans un appartement fourni par sa sœur. On découvre alors qu'elle s'adonne au métier d'escorte et qu'elle gagne ainsi beaucoup d'argent.

Un imposant stratagème est mis en place par la GRC afin de mettre Lepage en confiance et de l'amener à avouer l'assassinat de Germain Derome. En février 2002, elle fait la rencontre d'une agente double, qui l'approche pour accomplir quelques tâches à la solde d'une organisation criminelle. Elle lui offre une généreuse rémunération. Ainsi, au cours des neuf mois qui suivent, Christine Lepage se rend à Ottawa, à Toronto, à Drummondville et au poste frontalier de Lacolle, où elle livre documents, fausses cartes de crédit et monnaie contrefaite, pour le compte de différents contacts dans une supposée organisation criminelle — en fait, il s'agit tous d'agents doubles. En novembre 2002, la GRC fait une demande à la Cour du Québec pour enregistrer la suspecte. Le 21, Lepage est convoquée à l'hôtel InterContinental, à Montréal. Le « chef » de l'organisation criminelle, un certain Dan, désire la rencontrer pour un gros coup. Comme elle a montré qu'elle était digne de confiance, son équipe veut lui confier la tâche exigeante de transporter une cargaison de bijoux, de l'Ouest canadien à New York, en échange de 50 000 $. Cependant, il y a une ombre au tableau. L'organisation a des complices infiltrés dans la police, et ils ont découvert que ses empreintes ont été prélevées sur la scène d'un crime commis en 1981. Dan lui montre un document qui prouve ses dires. Il désire savoir le fin mot de cette histoire ; en échange, ses complices feront disparaître le dossier.

Devant la copie du rapport de police montrant ses empreintes, Christine Lepage, qui croyait avoir réussi le crime parfait, ne cache pas son étonnement. « Ben j'en reviens pas ! Je veux dire, je suis surprise... »

Elle accepte de raconter son crime, et n'est pas avare de détails. « Je suis allée à la salle de bain, j'ai mis mes gants, j'ai sorti mon revolver, je suis sortie de la salle de bain, puis je l'ai tiré... » Une histoire de règlement de compte. Son copain de l'époque, un certain Benoit Baillargeon, avait reçu la consigne d'éliminer Derome, et lui avait demandé d'exécuter la tâche pour lui. « Pourquoi qu'il a eu le contrat sur lui, je lui ai même pas posé la question. Parce que pour moi, c'était définitif, s'il avait un contrat sur lui, si quelqu'un est prêt à payer pour te faire tuer, ben t'es un hostie de crosseur en général. » Elle explique qu'après avoir commis le meurtre, elle s'est empressée de se débarrasser de ce qui pouvait l'incriminer : « Les souliers, les bas, tout ce qui m'a servi ce soir-là a été brûlé. Même mes petites culottes. »

Au cours des aveux qu'elle fait, Christine Lepage fait allusion à un grand nombre de détails incriminants : elle décrit physiquement la victime, présume de l'homosexualité des personnes sur les lieux, mentionne qu'elle a tiré deux fois en direction de l'homme qui était dans la cuisine, mais qu'elle l'a raté puisqu'il se protégeait avec une chaise berçante... De plus, elle confirme qu'elle portait une perruque blonde puisqu'elle est rousse, et souligne qu'elle est très habile pour se déguiser. On l'arrête le jour même. Elle est accusée du meurtre de Germain Derome et de tentative de meurtre sur Julien Bessette.

*

Comme défense, Lepage plaidera qu'elle a raconté une histoire à l'agent double pour avoir l'air forte à ses yeux ... Les détails précis ? Elle les avait lus dans les journaux, et ils lui sont revenus en mémoire lors de l'entretien à l'hôtel. Elle affirme qu'à l'époque du meurtre, elle était escorte et s'était rendue chez la victime à son invitation, pour des rapports sexuels. Surprise par un autre homme, elle aurait feint d'être là pour un sondage, serait partie rapidement, et aurait appris le crime le lendemain, aux actualités. Craignant d'être le suspect numéro un et que son témoignage ne soit pas cru puisqu'elle était prostituée, elle aurait choisi de cacher son histoire.

Les jurés n'achètent pas son témoignage. Ils la condamnent, en 2005, à 25 ans de prison.

N'est-il pas ironique d'être condamné à 25 ans de détention 24 ans après avoir commis un crime jusque-là impuni ? Christine Lepage est donc entrée au pénitencier à 47 ans, au moment où elle aurait dû en sortir...

QUATRE NOMS D'EMPRUNT, TROIS FEMMES ASSASSINÉES, DEUX VICTIMES QUÉBÉCOISES, UN TUEUR EN SÉRIE...

MONTRÉAL, 1982

Tous les tueurs n'appartiennent pas à la même catégorie. Le tueur à gages, cynique entre tous, supprime un étranger sur commande en échange d'une rémunération; le tueur passionnel, au contraire, assassine un proche qui lui est cher sous l'empire d'une colère démesurée. Quant au tueur en série, il fait partie d'une classe bien à part.

Les experts en criminologie, notamment ceux du FBI, ont établi une série de critères pour déterminer si un tueur appartient à ce dernier type. L'individu homicide doit, entre autres, avoir tué plus de deux personnes, en au moins deux occasions distinctes, et il faut que les crimes aient eu pour motif une certaine forme de gratification psychologique, incluant — sans y être limité — une ou plusieurs déviances sexuelles. Dit « ritualiste », le tueur en série applique toujours le même *modus operandi*, c'est-à-dire les mêmes techniques de capture, de meurtre et de disposition du cadavre. De plus, il est souvent possible d'établir une victimologie, soit de reconnaître les prédilections du tueur en ce qui a trait au choix de ses victimes.

Tous ces éléments sont présents dans les meurtres sauvages qu'effectue William Dean Christensen, celui qu'on connaît sous le nom de Richard Owen à Montréal, de Stanley Holl en Pennsylvanie, de Jeffrey Schrader à Philadelphie, et de Bill l'éventreur dans les journaux.

*

Les tueurs sériels sont souvent le produit d'une enfance malheureuse ponctuée de violence et d'abus de toutes sortes. Il ne semble pourtant pas que cela ait été le cas pour Christensen.

William Dean Christensen voit le jour en 1945 à Bethesda, Maryland, aux États-Unis. Fils d'un père détenant d'importantes fonctions, dont des liens plus ou moins officiels avec la CIA, il vit une enfance confortable, à l'abri du besoin. Selon ce qu'en rapportent des amis de l'époque, il n'avait aucune propension à la violence et aurait même été doté d'une intelligence bien au-dessus de la moyenne, qui lui aurait assuré un succès certain s'il s'était donné la peine de diriger ses efforts autrement... Le chemin de ce privilégié semblait tracé d'avance : ses parents étaient prêts à lui payer les études de son choix. Déjà, ils lui offraient toutes ses fantaisies automobiles, le jeune William ayant une passion pour les Corvette et autres bolides modifiés artisanalement.

Malgré un avenir si prometteur, Christensen allait sombrer au plus bas de la condition humaine.

*

Ses premiers démêlés avec la justice remontent à l'année 1969, alors qu'il est reconnu coupable de voies de fait graves avec intention d'homicide sur une jeune fille. Il écope de cinq ans de prison. On portera rapidement de nouvelles accusations contre lui : évasion, voies de fait et possession d'arme illégale dans l'État de Washington, en 1971.

De retour au Maryland, il est inculpé de nombreuses accusations de viols, de déviance sexuelle et de pratiques perverses. Il reçoit deux peines consécutives de 16 ans de prison. Il en purgera neuf après avoir plaidé coupable.

Libéré sur parole en 1980, Christensen décide de changer d'air et, pourquoi pas, de nom. C'est en tant que Richard Owen qu'il foule le sol montréalais pour la première fois. Il ne faudra guère de temps avant qu'il commette un autre délit de nature sexuelle. Le 16 avril 1981, la police capture « Owen » pour une affaire de viol. L'animal commence à bien savoir manœuvrer le système judiciaire : il réussit à négocier une réduction des charges qui pèsent contre lui, en échange de son engagement à plaider coupable. Résultat : à peine 18 mois d'incarcération, et ce, sous sa fausse identité. Et l'audace de l'homme ira encore plus loin.

À la grande honte des tenanciers de la prison de Bordeaux, le violeur impénitent réussit à intégrer le groupe des prisonniers ayant des permissions de sortie les fins de semaine. Entre lui et la liberté, il n'y a que le registre, qu'il signe insolemment, avant de prendre la fuite.

Pour le criminel, il est moins une : les autorités américaines sont en processus de demande d'extradition, ayant réussi à faire le lien entre Owen et Christensen.

Le 2 avril 1982, Christensen déambule à Montréal, une seule idée en tête : trouver une proie. Il s'apprête à franchir une étape dont on ne revient pas : un meurtre, et d'une horreur comme il s'en voit peu.

Sa victime s'appelle Sylvie Trudel, une Trifluvienne d'origine qui est employée de bureau. Elle rencontre l'évadé de prison dans un bar et accepte de se rendre à l'appartement miteux qu'il a dégoté, sis au 105, rue Milton.

La police découvrira ses restes affreusement mutilés le 27 avril seulement. La pauvre femme, qui n'avait même pas franchi le cap de la trentaine, a été décapitée et démembrée à la scie ronde. Sa tête est dans le four et son torse, séparé en deux, repose en partie sur une étagère du placard de la cuisine. Le reste de sa dépouille a été fourré dans trois sacs à ordures.

Les forces de l'ordre ne sont pas au bout de leurs sinistres découvertes. Une autre jeune femme, Murielle Guay, a subi un sort similaire : son corps n'est plus qu'un amas de chair grossièrement découpée. Elle est trouvée dans un sac poubelle enterré à la va-vite dans un champ de la région des Mille-Îles, en Outaouais. Sa tête, sectionnée du corps, a été rasée.

*

Aucune trace de Christensen. La police émet un mandat d'arrestation à la grandeur du territoire, mais le tueur a déjà regagné son pays d'origine. Il rejoint ses parents à Lancaster, dans l'État de Pennsylvannie, et fait un frauduleux retrait de 5000 $ de leur compte.

Le tueur continue ses pérégrinations sanguinaires. Il évolue quelque temps dans le même État; il s'est établi provisoirement dans la ville de Scranton, sous le nom de Stanley Holl. Dans la nuit du 23 septembre, à Dixon, il accoste une danseuse à gogo du nom de Michelle Angiers à sa sortie du Moonlight Inn. Il la poignarde à 30 reprises, puis place une peluche sur le corps saccagé. Elle est trouvée à 6 h 30 le lendemain matin, baignant dans une mare de sang coagulée. Son assassin est déjà loin.

Le carnage se poursuit au New Jersey, où Christensen attaque deux hommes avec lesquels il s'était lié d'amitié dans un saloon. Toutefois, il ne les tue pas.

L'assassin échoue finalement à Philadelphie. Le 4 décembre 1983, il assassine sa dernière victime, Joseph Connelly, de plusieurs coups de fusil. Il est arrêté le soir même sous le nom d'emprunt de Jeffrey Schrader. Cette fois est la bonne. La police découvre dans son appartement un matelas et une scie à métal maculés de sang. La colocataire de Christensen, une effeuilleuse, ne sera jamais retrouvée.

L'aisance que démontre « Schrader » à évoluer dans le système carcéral met la puce à l'oreille des détectives de Philadelphie. Se doutant que l'homme n'est pas un enfant de chœur, ils font paraître un avis dans un bulletin policier. Les autorités des autres États où Christensen a sévi font rapidement le lien entre leur homme et Schrader.

Même accablé de dizaines de chefs d'accusation, le sinistre personnage fait des bouffonneries — qui n'amusent que lui. À ses comparutions, il paraphe tous les documents qu'on lui présente d'un crochet exubérant, provocateur.

Le 6 août 1987, William Dean Christensen est reconnu coupable du meurtre crapuleux de Michelle Angiers et écope de plusieurs peines de prison à vie consécutives. Puisqu'il est le principal suspect dans 30 assassinats d'auto-stoppeuses et de danseuses à gogo de la côte est — des cas qui semblent porter sa signature —, il est assuré de passer le reste de ses jours en prison.

Les autorités de Montréal, peu désireuses de rapatrier un pareil monstre en leur juridiction et rassurées quant à sa mise à l'écart définitive, ont clos les dossiers de Trudel et de Guay.

L'ACQUITTEMENT ROCAMBOLESQUE DE CLAIRE LORTIE

SAINT-SAUVEUR, 1983

Claire Lortie est une jolie blonde, toute menue, de 32 ans. En 1983, cela fait quelques années que l'avocate a emménagé dans une maison de Saint-Canut, près de Mirabel, en colocation avec un ancien amant. Elle a un fils de neuf mois issu d'une autre union et gère une galerie d'art à Saint-Sauveur-des-Monts, où elle possède aussi un chalet — enfin, un terrain où subsistent les ruines d'un chalet calciné : seule la cheminée de brique surgit des fondations remplies de débris. Comme la galerie de Saint-Sauveur connaît un démarrage lent, Claire se remet à la pratique du droit, à Saint-Canut.

Le 15 juillet, la jeune femme contacte son beau-frère pour qu'il l'aide à laver ses tapis. Il y a de nombreuses taches de ketchup dans la cuisine et près de la salle de bain, qui résistent à ses soins. L'homme passe une nettoyeuse industrielle ; rien n'y fait. Le ketchup est bien incrusté et ne disparaît pas.

Trois jours plus tard, Lortie contacte un excavateur de Saint-Sauveur. Elle a besoin qu'on creuse le terrain de son chalet incendié, afin, dit-elle, de retrouver les tuyaux de sa fosse septique. L'excavateur s'exécute, bien qu'il sache que la fosse n'est pas située à cet endroit : il l'a lui-même creusée un peu plus loin, il y a 10 ans... Bien vite, il contacte son frère Jean, le chef de la police de Saint-Sauveur: « Je viens de creuser ce qui a toutes les allures d'une tombe chez madame Lortie, moi là... »

Jean Pagé se rend sur les lieux le soir même. Pas de doute, ce trou de huit pieds de profondeur est louche... Que se passe-t-il? Que peut bien vouloir enterrer Claire Lortie? Son frère, Niska, est un peintre reconnu, et des toiles qui lui ont été volées n'ont jamais été retrouvées. Serait-ce une affaire de recel à camoufler?

Le soir du 19 juillet, Claire Lortie fait appel à des connaissances pour qu'ils l'aident à sortir un congélateur de sa cave et à le mettre dans sa camionnette. Le congélateur est très lourd et scellé de ruban adhésif gris, du type qu'on utilise pour les gros travaux. Les hommes forcent comme des damnés. Ils parviennent tant bien que mal à le hisser au sommet des escaliers et à le faire tenir en équilibre au-dessus de la trappe de la cave, qui donne au milieu de la salle de séjour. Ils le branchent et promettent de repasser le lendemain avec des courroies de déménageurs.

À leur retour, l'un des hommes s'exclame: « On pourrait enlever la viande, ce serait moins lourd! » Claire Lortie refuse. Il ne faut pas que ça dégèle. « Où est Rodolphe? Il pourrait nous aider... mais je suis sûr qu'il est dans le congélateur! » Tout le monde s'esclaffe. Sauf Claire. Ils se ressaisissent, réussissent à traverser la maison, et hissent le congélateur à l'arrière du camion. Pour 100 $ chacun, ça vaut le coup d'aider une amie à livrer sa viande.

Le 21 juillet, le chef de police revient sur le terrain du chalet incendié. La fosse vient d'être remblayée. Lorsqu'il rentre au village, il croise un homme aux commandes d'une pelle mécanique, qui lui confirme qu'il a rempli un trou de quelques pieds de profondeur à la demande de Claire Lortie. Le chef Pagé croit dur comme fer avoir retrouvé les tableaux volés de Niska. Mais lorsqu'il fait vider la fosse, une tout autre découverte l'attend: un congélateur scellé de ruban adhésif. À l'intérieur, le cadavre nu de Rodolphe Rousseau, encore gelé, entouré de sacs de glace. L'arrière de sa tête a été défoncé par un objet contondant; on voit même des morceaux de son cerveau. Son bras gauche, lui, a été sectionné par une scie mécanique, à la hauteur du triceps et sous le coude. Le membre ne tient plus que par des lambeaux de peau et de chair.

*

Claire Lortie est accusée de meurtre, d'avoir fait disparaître des éléments de preuve, et de mutilation de cadavre. Son procès a lieu en octobre au Palais de justice de Saint-Jérôme. Bien qu'il fasse l'objet d'un interdit de publication, il fait salle comble à chaque audience. L'histoire passionne le Québec.

L'enquête a rapidement donné ses fruits : la pince-monseigneur ayant servi au basculement du congélateur est découverte dans la cave, et une facture prouvant l'achat d'une scie ronde manuelle est trouvée dans la poubelle extérieure de la maison de Saint-Canut. De plus, un cheveu blond appartenant à l'accusée est prélevé sur un bout du ruban adhésif gris. On constate que Claire Lortie s'est fait livrer le congélateur le 11 juillet, soit deux jours avant le meurtre, que l'autopsie situe le 13. En fait, il s'agit du deuxième appareil qu'elle a commandé. La livraison du premier avait été retardée... mais l'avocate ne pouvait pas attendre. De plus, durant les jours qui suivent le meurtre, Claire Lortie falsifie des chèques au nom de la victime, et les dépose dans son compte.

Les preuves, aux yeux des enquêteurs, sont accablantes.

*

Mais, bien entendu, et c'est une excellente chose, au Canada, on est innocent jusqu'à preuve du contraire. Il revient donc à la Couronne de prouver le meurtre au cours d'un procès, et si possible appuyer la preuve en identifiant le motif de la meurtrière. Claire Lortie est avocate et excellente oratrice. À la fin de son procès, elle avoue avoir tenté de démembrer le cadavre pour le disposer dans des sacs poubelles, et, voyant qu'elle n'y parviendrait pas, avoir organisé l'enfouissement du congélateur. Cependant, elle affirme ne pas avoir tué Rousseau. Selon ses dires, elle est rentrée chez elle le soir du 13 juillet et a trouvé des traces de sang dans la cuisine, ainsi qu'une hache ensanglantée dans l'évier. Les traces de sang l'ont menée à la salle de séjour, puis dans la cave, et enfin au congélateur, où le corps se trouvait déjà. Elle aurait alors décidé de se débarrasser du cadavre par panique, pour éviter la mauvaise publicité que cette histoire leur créerait, à elle et à sa famille — en plus de son frère artiste, elle a un frère organisateur du Parti conservateur du Canada, et un troisième qui est un homme d'affaires prospère. Elle avoue aussi s'être débarrassée de la scie et de la hache dans un lac de la région : celles-ci n'ont jamais été retrouvées. Selon elle, la scie est un cadeau qu'avait reçu Rodolphe quelques jours avant le décès. Son témoignage est corroboré par une détenue qui la côtoie à la Maison Tanguay, et à qui elle fait des confidences.

L'essentiel de l'exercice de la Couronne consiste à prouver que Claire Lortie a tout fait seule, et que l'argent, en particulier la propriété de Saint-Canut, était le motif du crime. Il n'est pas difficile de montrer que la pince-monseigneur lui a servi de levier pour pousser, centimètre par centimètre, le congélateur dans la fosse. Mais prouver qu'elle aurait pu placer un homme si lourd dans le congélateur n'est pas aisé. On tente de reconstituer la scène avec des jeunes femmes de sa taille, et on s'appuie sur l'argument selon lequel la force peut être décuplée par l'adrénaline.

Hormis les signatures falsifiées sur les chèques que Lortie a encaissés, on ne parvient pas à prouver que sa situation économique a pu la mener au meurtre. Certes, elle avait donné à la victime beaucoup d'argent qu'elle ne lui avait jamais remboursé, mais on conclut que cela fut fait par charité.

*

Claire Lortie est finalement acquittée du meurtre de Rodolphe Rousseau, les jurés n'ayant pu démontrer sa culpabilité hors de tout doute raisonnable. Elle est néanmoins condamnée à 30 mois de prison pour avoir dissimulé des preuves, avoir mutilé un cadavre, et s'être adonnée à la falsification de chèques.

La Couronne et les enquêteurs de police sont abasourdis.

L'avocat de la défense l'est aussi. Tout jouait contre sa cliente ! Me Gabriel Lapointe a joué le rôle de sa carrière dans ce procès. Drôle, décontracté, le verbe intelligent et la répartie vive, il réussit à semer le doute dans l'esprit des jurés. La tâche n'est pas aisée, mais il démontre que bien d'autres gens que sa cliente auraient pu avoir envie de se débarrasser de Rodolphe Rousseau. Cet alcoolique violent, insolvable et pourchassé par des créanciers avait été accusé d'agression sexuelle à quelques reprises. Un homme détesté ? Certainement... En réfutant les arguments économiques, Lapointe prend de court les témoins-clés de l'accusation.

L'avocat de la Couronne est quant à lui beaucoup moins habile, contre-interrogeant l'accusée avec peu d'aplomb, et omettant de la confronter sur certaines questions cruciales. Si Claire Lortie était en panique comme elle le prétend, comment a-t-elle pu vivre avec un cadavre dans sa cave durant une semaine, invitant des amis à souper ou à se baigner ? Quelles étaient donc les cendres que la police a retrouvées dans sa poubelle, lors de la première perquisition chez elle ? Et si elle a tranché le bras de la victime alors que celle-ci était déjà congelée, pourquoi les serviettes retrouvées dans le congélateur étaient-elles couvertes de sang ?

Claire Lortie a été acquittée, mais on n'a jamais retrouvé le meurtrier de Rodolphe Rousseau. Les enquêteurs, convaincus de sa culpabilité, ont préféré fermer le dossier, conscients de la difficulté de rouvrir un cas réglé devant jury.

Il faut dire que la police est elle-même embêtée par cette affaire, en raison d'un rouleau de film mystérieusement disparu du centre de photographie où on le développait... Un rouleau qui comprenait apparemment les négatifs de photos prises à la maison de Saint-Canut, quelques jours avant le drame, sur lesquelles on verrait un confrère policier tout sourire près de la piscine ; un homme qui avait auparavant entretenu une relation avec Claire Lortie...

Ainsi, cette histoire sordide ayant donné lieu à un procès digne d'un thriller hollywoodien reste encore aujourd'hui teintée d'un épais mystère.

« JOYEUX NOËL, VOUS ÊTES MORT. »

ROCK FOREST, 1983

Combien de policiers rêvent de jouer les héros dans une fusillade rocambolesque, au terme de laquelle les criminels seraient maîtrisés, les innocents protégés, les vies sauvées, et la justice rendue ? Combien de jeunes enfants reçoivent une arme factice, un badge de plastique et une casquette d'officier, avec lesquels ils pourchassent de faux criminels qu'ils font mine d'assassiner ?

Au matin du 23 décembre 1983, à Rock Forest, les armes sont bien réelles, et les policiers se croient tout-puissants. Mais les présumés criminels... n'en sont pas. C'est un cadeau de Noël bien funeste que de se faire mitrailler dans son sommeil, au cours d'une intervention policière que tout conduisait à la bavure.

*

Le 22 décembre 1983, au magasin Pascal du Carrefour de l'Estrie, à Sherbrooke, deux cambrioleurs dévalisent un fourgon de la Brinks. Le gardien de la compagnie de fourgon se fait désarmer, une décharge le dévisage : il est tué sur le coup. Les assassins s'enfuient par la porte de livraison à l'arrière du commerce. Ils ont volé 47 000 $. La population sherbrookoise est indignée par le crime, et des dizaines de policiers partent rapidement à la recherche des bandits.

La veille, Jean-Paul Beaumont et Serge Beaudoin, deux hommes de la banlieue de Québec, ont commencé un travail de nuit dans l'édifice de la compagnie Bell Canada. Le bâtiment se refait une beauté, et pas moins de 4000 verges de tapis doivent être posées. C'est un dur labeur. Comme ils doivent travailler après la fermeture des bureaux, leur horaire est contraignant. Douze heures d'affilée à s'érafler sur le tissu rugueux. Mais lorsqu'on a besoin de quelques dollars supplémentaires, surtout durant le temps des fêtes, on ne lève pas le nez sur du travail honnête.

Les poseurs de tapis occupent la chambre 5 du motel Châtillon à Rock Forest, où ils dorment d'un sommeil de plomb une bonne partie de la journée, alors que le reste de la population s'anime à l'approche du réveillon.

Au moment où le gardien de la Brinks est assassiné, Beaumont et Beaudoin sont réveillés. C'est déjà l'après-midi ; ils se préparent à reprendre le travail. Ils écoutent un épisode de *La petite maison dans la prairie*, boivent des boissons gazeuses, prennent leur douche. L'heure de partir vient. Ils sortent dans l'air froid et déneigent leur voiture. Serge conduit jusqu'à une station-service, remplit la voiture d'essence et achète ce qu'il faut — six cannettes de bière ne peuvent pas faire de mal ! — pour garder l'entrain nécessaire tout au long de la nuit. Sur leur route, ils croisent de nombreuses voitures de police. La radio leur apprend qu'un vol meurtrier a eu lieu au centre commercial, et que ses deux auteurs sont en cavale. « Si les policiers nous arrêtent, ils vont peut-être nous poser des questions parce qu'on n'est pas de la région », blague Serge à son collègue.

Les deux hommes travaillent toute la nuit comme prévu et, vers 4 h 30 du matin, ils récupèrent leurs outils et reprennent le chemin du motel Châtillon. Ils déchargent des contenants de colle pour éviter qu'elle ne gèle dans la voiture, et décapsulent une dernière bière. Ils ne l'ont pas volée ! Il est 5 h 15, le 23 décembre. Avant même que Serge n'ait le temps de sortir de la douche, Jean-Paul s'est endormi, complètement épuisé.

La Police de Sherbrooke est sur les dents. Dans cette histoire de vol de fourgon, il n'est pas seulement question de vulgaires braqueurs mais d'assassins, qu'il faut retrouver avant qu'ils ne fassent d'autres victimes. L'ensemble des agents locaux sont sollicités. Les constables Dion, Salvail et Castonguay prennent le contrôle des opérations.

La ville de Sherbrooke est entourée de campagne, sillonnée de nombreuses routes secondaires. Les suspects peuvent s'être évanouis à peu près n'importe où. L'enquête piétine toute la journée. Rien de neuf ne surgit durant la nuit. Mais au petit matin, une piste apparaît : vers 5 h du matin, des policiers municipaux de Rock Forest ont découvert une voiture volée dans le stationnement d'un commerce. On met la main sur un coupe-vent bleu et une arme de calibre .303. Ces pièces à conviction prouvent que la voiture est bel et bien celle des malfaiteurs. Les policiers sont convaincus que ces derniers sont encore dans les environs. Ils se tournent vers les petits motels du coin.

Au Châtillon, le personnel confirme que deux hommes venus de l'extérieur ont pris la chambre 5 la veille, à une heure inhabituelle. Eh oui ! Beaumont et Beaudoin correspondent en tous points à la description des hommes que recherchent les policiers. Pour Dion, Salvail et Castonguay, c'est l'évidence : ce sont les assassins du gardien du fourgon blindé. Il n'y a plus de temps à perdre. Vers 6 h 30, des constables de Sherbrooke sont appelés dans une salle de conférence pour orchestrer l'offensive. Il est convenu qu'on procédera à ce qu'on appelle un « réveil brusque », une manœuvre qui a pour effet d'empêcher les suspects de riposter en raison de l'effet de surprise. La brusquerie de ce type de réveil ne sera toutefois pas conforme à ce qui est proposé dans les manuels de formation policière...

On distribue des armes et des vestes pare-balles, et on communique d'avance avec les ambulanciers afin de prévoir des véhicules d'urgence, au cas où la manœuvre tournerait mal. Dans le stationnement d'un commerce contigu au motel, les policiers se regroupent autour d'un agent qui trace un plan dans la neige : ici, le hall d'entrée ; là, le comptoir d'accueil et le corridor ; plus loin, la chambre 5.

Les policiers se massent dans le corridor du motel. Une première décharge de carabine est suivie d'une rafale de mitraillette, qui crache 21 balles à travers le bois de la porte.

Serge et Jean-Paul sont loin, très loin dans les bras de Morphée. Leur sommeil est déchiré par ce cataclysme. Déjà, un liquide chaud et visqueux coule dans le cou de Jean-Paul. Son propre sang ! Que se passe-t-il ? Il se précipite entre les deux lits, avec l'intention d'appeler la police à l'aide. Quelle idée...

Sur l'autre matelas, Serge se contorsionne, en proie à d'horribles douleurs. Il appelle son ami au secours. Des voix hurlent dans le corridor, leur intiment de sortir sans quoi on défoncera la porte. Serge râle en direction de son ami : « Va ouvrir... » Jean-Paul se rend péniblement à la porte, en caleçons, le corps rouge de sang. Les policiers le menottent, appuient un canon sur sa tête : « Bouge pas, mon gros chien, ou je t'achève ! »

On les embarque, chacun dans une ambulance, en direction d'un hôpital différent : Jean-Paul à l'hôpital Saint-Vincent-de-Paul de Sherbrooke, où on le soigne pour une blessure mineure au visage ; Serge est quant à lui soigné à l'hôpital universitaire de Sherbrooke, où on ne parvient pas à le rescaper. Il a reçu cinq balles en pleine poitrine.

Les policiers mettront du temps avant d'avouer qu'ils ont commis une effroyable bévue. La nouvelle fait le tour du monde. Un rapport d'enquête dévastateur suit.

Pourquoi n'ont-ils pas pris le temps de cerner l'endroit, d'avertir les suspects avec un porte-voix, de faire tout ce qui était en leur pouvoir avant d'en arriver aux coups de feu ? Pourquoi n'ont-ils pas vérifié à qui appartenait la voiture stationnée devant la chambre numéro 5 ? Une simple recherche aurait révélé que son propriétaire avait signé le registre de l'hôtel, comme les gens honnêtes ont l'habitude de le faire. Honnête, oui, comme Serge Beaudoin, abattu de manière absurde.

Ironie du sort : en mars de l'année suivante, les deux meurtriers du Carrefour de l'Estrie, qui avaient réussi à fuir aux États-Unis, seront eux-mêmes arrêtés par des policiers de Houston, au Texas, au cours d'une fusillade dans un motel. Ils seront blessés, mais ni l'un ni l'autre ne mourra.

LE SIXIÈME SIÈGE ÉTAIT VIDE CE MATIN-LÀ

QUÉBEC, 1984

La base militaire de Carp, en Ontario, n'est pas la plus stimulante qui soit. Il s'agit d'un bunker, conçu dans les années 1950, pour protéger le gouvernement en cas d'attaque nucléaire.

Le jeune caporal Denis Lortie, 25 ans, y est affecté. Il y est le seul francophone. Loin de sa femme, ses tourments familiaux passés — son père le violentait — combinés à ses opinions politiques tranchées lui montent à la tête : selon lui, les souverainistes québécois sont responsables non seulement de ses déboires personnels, mais des problèmes des francophones de part et d'autre du Canada. Pour cela, René Lévesque — alors premier ministre du Québec — doit mourir.

Lorsque sa femme, qui vit à Québec, l'informe de son intention de divorcer, Lortie obtient la permission de quitter la base quelques jours. C'est le moment. Il fait le plein d'artillerie : un masque à gaz, deux mitraillettes, un pistolet, un couteau, une veste pare-balles. Il franchit la guérite sans souci. Après tout, il est responsable de l'approvisionnement ; c'est son rôle d'être armé.

Lortie prend une chambre à Sainte-Foy, achète un magnétophone et des cassettes, et participe à une visite guidée de l'hôtel du Parlement afin d'avoir une idée de la disposition des pièces. La guide lui confirme que les parlementaires seront là le lendemain matin, dès 10 h. De retour au motel, il prépare un enregistrement à l'intention de l'animateur radio André Arthur, de la station CJRP : « Avant qu'il soit trop tard, je vais vous arranger ça... »

Le 8 mai, vers 9 h 30, il se rend à la station de radio et laisse une enveloppe à la réceptionniste. En chemin vers l'Assemblée nationale, il s'arrête à la citadelle pour tester son attirail : il vide un chargeur complet sur les vitres et les murs de pierre. Les touristes se précipitent au sol. Pendant ce temps, les employés de la radio ont écouté la bande sonore. Lorsqu'ils contactent la police, Lortie a déjà garé sa voiture près d'une porte latérale du Parlement. La police est en route.

Armé jusqu'aux dents, Lortie pénètre dans le petit hall. Par l'entrée qu'il a choisie, on accède rapidement aux salles importantes du bâtiment. La réceptionniste n'a pas le temps de réagir : Lortie la mitraille. Heureusement, elle survivra. Mais le carnage est commencé. Lortie s'avance dans les corridors et tire sur tout ce qui bouge, voire sur ce qui ne bouge pas : rideaux, murs, boiseries et mobilier, tout vole en éclats. Dans les bureaux, de nombreux employés et visiteurs s'imaginent des pétards, des outils industriels ou des fusibles qui sautent. Mais les blessés se multiplient et Camille Lepage, un messager, est tué net de plusieurs balles au visage et au cou.

Lortie monte l'escalier central menant au Salon bleu, où se déroulent normalement les échanges parlementaires. « J'en ai une gang à tuer au deuxième et au troisième étages ! Où sont les députés ? Je veux les tuer ! », crie-t-il en tirant au petit bonheur la chance.

Le restaurant Le Parlementaire a son entrée sur un des paliers de l'escalier. Plus de 30 personnes y déjeunent tranquillement, dont certains ministres qui doivent participer à la commission parlementaire de 10 h. C'est là que Lortie aurait dû aller pour mener à bien son terrible plan... Mais il monte plutôt la volée de marches, atteint l'étage et s'avance dans l'antichambre du Salon bleu. Une porte donne sur un fumoir. Il tire sur les quelques fonctionnaires qui s'y trouvent. Puis il entre dans le Salon, s'imaginant que l'attendent 125 députés sur leurs sièges. Mais il n'y a que quelques pages et caméramans, qui préparent la salle pour l'arrivée des élus. Georges Boyer, qui dispose des verres d'eau sur les tables, reçoit plusieurs balles à la tête et aux jambes. Il meurt sur-le-champ. Le caméraman Réjean Dionne se précipite au sol entre les sièges du premier ministre et du ministre de l'Éducation : il reçoit une balle au bras. Partout, les employés se terrent entre les bancs, sous les tables, ou derrière la rambarde de la mezzanine, d'où les citoyens et les journalistes peuvent assister aux séances de l'Assemblée.

« Je suis du Royal 22e Régiment et je vais nettoyer la place ! Comment ça se fait qu'il y a pas de députés ici ? Je vais tous les tirer ! » Lortie traverse la salle et s'assoit sur le trône du président de l'Assemblée. Il accroche son béret sur le trépied du micro et tire à la ronde. Les douilles vides qui sortent de l'arme font onduler le drapeau du Québec derrière lui. Sa cible de prédilection est une caméra téléguidée, que contrôle une technicienne à partir d'une salle contiguë : toute la scène est filmée.

Deux hommes qui n'ont pas entendu le tapage entrent dans la salle. Le caporal les accueille avec du plomb. Roger Lefrançois, un messager, s'effondre. Mort. Son collègue tombe au sol et cesse de bouger, simulant d'être mort aussi. Cela lui sauve la vie.

Le temps passe, et Lortie commence à perdre sa concentration. Toujours assis sur le trône, il se met à divaguer. Il est livide, respire superficiellement et rapidement. « J'ai manqué ma *shot*! Mais un jour, je reviendrai ! », profère-t-il le doigt levé, avant de pousser un long soupir et de lancer son dentier en l'air, par dépit, comme on lancerait un déchet dans la rue.

Le responsable de la sécurité de l'Assemblée nationale, le sergent d'armes René Jalbert, se dirige directement au Salon bleu plutôt qu'à son bureau lorsqu'il entend les coups de feu. L'homme est élégant. Mallette à la main, il porte un complet sombre sous son imperméable, a les tempes grisonnantes et fait un peu de calvitie. Il inspire le respect. Avec un sang-froid exceptionnel, il pénètre par la porte située derrière le trône, s'avance pour voir ce qui se passe.

« Monsieur, allez vous cacher ! lui crie Lortie.

— Comment ça va ? répond calmement Jalbert.

— J'capote, tabarnak ! crie Lortie en se levant et se tournant vers lui. Peux-tu comprendre ça ?

— Ben oui...

— Je suis écœuré ! »

Jalbert saisit la chance que lui offre cette amorce de discussion. Lui-même vétéran haut gradé de l'armée canadienne, il a suivi une formation sur la marche à suivre dans de telles situations. D'abord, établir un contact. Ensuite, un lien de confiance...

« Moi aussi, je suis militaire comme vous.

— Vous êtes sûr ?

— Certain, répond gravement Jalbert, comme si la chose était une évidence.

— Qu'est-ce que vous pensez de ça, le tabarnak de gouvernement ? enchaîne Lortie, d'une voix aiguë.

— J'ai passé 30 ans, moi, dans l'armée, poursuit Jalbert.

— Le monde... ils rient du monde, câlice !

— Mais qu'est-ce qu'ils font ?

— Les hostie de politiciens comme lui, là... »

Lortie lève son arme vers les premiers sièges de députés à sa droite, sur lesquels il tire plusieurs balles. Il s'arrête. À haute voix, en pointant l'un après l'autre les sièges, il compte :

« Un ! Deux ! Trois ! Quatre ! Cinq ! J'ai manqué ma *shot* ! »

Et il tire sur le sixième siège. Celui du premier ministre Lévesque.

Jalbert lève la main :

« Veux-tu, on va en parler, de cette affaire-là ?

— De quoi tu veux qu'on parle ?

— Je voudrais savoir pourquoi tu brises ça.

— Je brise pas ! Je voulais le tuer ! Mais y a pas personne ! crie un Lortie dépité.

— Ah, ah, ah... T'es trop de bonne heure...

— Comment ça, trop de bonne heure ? »

Lortie regarde son poignet où il n'y a pas de montre.

« Ça commence pas avant 2 h.

— Ils m'ont dit 10 h !

— Mais non, 10 h, c'est demain matin.

— Ah... répond Lortie, en regardant autour. Ben, qu'est-ce que je fais ? Qu'est-ce que vous feriez, vous, en tant que militaire ?

— Comme militaire, moi, si j'étais vous... »

La discussion s'approfondit, et Jalbert se place peu à peu dans une position d'autorité. Il dépose sa mallette, offre des cigarettes. Il a l'air décontracté. Lortie se rassoit. Les deux hommes se montrent respectivement leur carte d'identité de l'armée. Le major Jalbert est d'un rang bien supérieur à celui du caporal. Il s'approche, lève une jambe sur l'estrade, s'accote sur son genou, comme s'il discutait avec un vieil ami. Il commande même du café, qu'on leur fait venir du restaurant. Jalbert convainc Lortie de laisser sortir les blessés, puisque ce ne sont pas ces gens qui sont l'objet de sa colère. Réjean Dionne contourne le trône en tenant son bras blessé. Une dame le suit quelques instants plus tard. D'autres se lèvent d'entre les sièges. Autant de victimes potentielles sauvées...

Sur la mezzanine, un policier a pénétré dans le Salon. Il est armé et cherche à parlementer avec Lortie. Pourquoi a-t-il fait cela, qu'est-ce qui lui a pris ? Jalbert s'inquiète. Il avait réussi à tirer profit de la situation, et Lortie s'était calmé. Une provocation pourrait être explosive. Jalbert convainc le tireur de le suivre dans son bureau, où ils pourront parler en tête à tête. Lortie se lève, droit, comme un bon soldat. Jalbert pointe le béret toujours accroché au pied du micro. « Ah, excusez-moi, monsieur. Respect. Respect pour l'armée. » Lortie se coiffe du béret. Il n'est que 10 h 25.

Dans le bureau de Jalbert, les deux hommes passent quelques heures à tenter de trouver une stratégie pour mettre fin à cette horrible histoire. Jalbert négocie la reddition de Lortie à la police militaire. À 14 h 10, ils sont prêts à quitter les lieux. Jalbert sort en premier. Mais, sitôt qu'il s'est un peu éloigné, des policiers de la Sûreté du Québec se précipitent sur Lortie, l'immobilisent au sol et lui passent les menottes. Le carnage est terminé. Il a tué trois personnes et en a blessé 13.

*

René Jalbert a été décoré de la plus haute distinction canadienne pour la bravoure, la Croix de la vaillance. Il est décédé en 1996.

La peine de prison à perpétuité de Denis Lortie a été écourtée pour des raisons psychiatriques. Il est aujourd'hui libre comme l'air et possède un dépanneur en Outaouais. Personne n'ose le cambrioler.

« PROCHAIN DÉPART : L'ÉTERNITÉ »

MONTRÉAL, 1984

La Gare centrale de Montréal a quelque chose d'une cathédrale : ses plafonds sont immensément hauts, ses parquets, lisses comme le marbre, et les gens qui y circulent semblent recueillis, même lorsqu'ils sont pressés.

Thomas Bernard Brigham avait-il réfléchi à cette analogie entre la gare et les lieux de culte ? Familier des frontières séparant réalité et imaginaire, il passait de longues heures à observer les départs et les arrivées, un café pour seul compagnon.

L'homme de 65 ans avait entamé sa descente vers la folie depuis belle lurette. Ce natif de Rochester, New York, avait jadis été pilote pour les forces de l'air américaine, lors de la Deuxième Guerre mondiale. Il avait effectué 24 missions. À ses dires, son avion de chasse aurait été abattu en plein vol le 29 avril 1944, en Allemagne. Il aurait été détenu à titre de prisonnier de guerre. Si l'on en croit Paul, un de ses 11 enfants, c'est cette expérience qui aurait déclenché les troubles psychiques de Brigham.

Le vétéran a effectué au moins quatre séjours dans des hôpitaux psychiatriques, notamment après avoir affirmé à ses proches être Jésus Christ. Il aurait erré de l'Ohio à Boston, avant d'échouer, en avril 1984, dans une maison de chambres sise à quelques coins de rue de la Gare centrale de Montréal. Peut-être voulait-il fuir les services secrets américains ; l'homme était sous surveillance depuis que l'on avait découvert qu'il harcelait le président Ronald Reagan.

Selon son avocat, Brigham se faisait un devoir de prophétiser des malheurs en tout genre. Ses têtes de Turc favorites étaient les communistes et le pape Jean-Paul II, qu'il se croyait destiné à supplanter dans un très proche avenir. Avait-on affaire à un inquiétant sociopathe, ou à pauvre homme tourmenté et possiblement schizophrène ?

Les esprits troublés qui prophétisent la fin du monde et caressent des ambitions de nouveau messie sont légion dans les rues des grandes villes. Ces êtres dont même la curatelle publique ne sait que faire glissent au travers des mailles des filets institutionnels, et flirtent souvent avec l'itinérance, loin de toute aide familiale ou étatique.

Brigham, lui, n'était pas passé totalement inaperçu des autorités montréalaises. Un an avant les faits, Normand Veskel, le représentant des forces constabulaires, l'avait mis en garde à vue pour ses errances nocturnes. N'ayant pas de raisons de croire qu'il allait commettre un délit quelconque, Veskel l'avait relâché.

Début septembre 1984, une lettre étrange, adressée au directeur de « Cosmic Amtrak, Dorchester », parvient entre les mains des dirigeants de Via Rail. Elle y annonce, dans un langage éclaté mélangeant confusément l'anglais et le français, la fin du règne hérétique du Vatican, cette « papauté très sanglante ». On y mentionne la date du 3 septembre 1984 à 9 h 30 : « Vous aurez du sang sur les mains. N'ignorez pas cette lettre ! » Le message n'a ni queue ni tête, puisque la visite du pape Jean-Paul II n'est prévue qu'une semaine plus tard. Les employés sont alertés par la missive, mais faute d'informations précises, ils n'y accordent pas suite.

*

Au matin du 3 septembre 1984, la Gare centrale fourmille de voyageurs. Plusieurs rentrent à la maison : c'est le dernier jour de la longue fin de semaine du travail. Vers 10 h, de nombreuses personnes attendent sur la plateforme du train en partance pour Ottawa.

10 h 22. Un bruit fracassant retentit.

Les fenêtres explosent ; des tuiles du plafond cèdent. Des éclats de métal et de verre déchirent la foule paniquée, les personnes présentes sont projetées au sol. Un témoin racontera avoir vu des femmes hurlant de douleur, les vêtements en feu. Harry Smith, un Néo-Zélandais qui rangeait des valises à 30 mètres de là, n'a vu qu'une boule de feu, suivie d'un terrible vacarme.

Le capharnaüm qui s'ensuit est indescriptible. La place Bonaventure, d'ordinaire si reluisante et proprette, est jonchée de débris. L'air est enfumé, la poussière ne retombe pas. Un incendie se déclare dans la salle des bagages. Des gens crient ; certains ont perdu un bras ou une jambe. Des enfants séparés de leurs mères pleurent.

Les ambulances arrivent sur les lieux à peine quatre minutes plus tard. Mais pour Marcelle Leblond, Michel Dubois et Éric Nicolas, deux étudiants universitaires et un artiste de Paris, il est déjà trop tard. Le hasard a voulu que les trois amis français se trouvent le plus près de la bombe : ils ont reçu la pleine violence du choc.

Les experts en explosifs détermineront que la bombe, qui était cachée dans le casier 132, juste à côté de l'agence de location de voitures, devait contenir dans les dix kilos de dynamite. Le cadavre de Marcelle Leblond, 25 ans, la victime la plus proche de la déflagration, a été réduit en une telle bouillie qu'il est impossible de prélever des empreintes, ni de retrouver des os ou des organes intacts. Seuls ses papiers ont permis de l'identifier.

Les corps des deux autres victimes ont été déchiquetés, ils sont complètement méconnaissables.

Quarante-sept autres personnes auraient été blessées dans l'explosion. Les ambulances en répartissent 25 dans sept hôpitaux différents, alors que 16 autres se rendent aux urgences d'elles-mêmes pour brûlures, lacérations ou choc nerveux.

La panique qui règne rend la suite des choses un peu confuse : la police doit composer avec plusieurs alertes à la bombe qu'a annoncées le déséquilibré.

À l'extérieur de la gare, Kathryn Léger, reporter pour la Canadian Associated Press, cherche à récolter des témoignages sur le vif. Elle sent bien qu'elle n'a pas affaire à un simple passant quand Thomas Brigham se met à lui déblatérer ses présages d'apocalypse. Il lui semble particulièrement louche lorsqu'il mentionne que l'heure de l'explosion, 10 h 17, est importante en numérologie, puisqu'on sait qu'aucun pape n'a foulé le sol américain depuis 117 ans. Sans compter qu'il dit avoir écrit des messages annonciateurs...

Le soir même, elle le reconnaît dans une séance d'identification au poste de police.

*

Thomas Bernard Brigham ne connaîtra plus jamais la liberté. Bien que la police ait supposé l'implication d'un deuxième individu — ce qui ne fut jamais prouvé —, et que l'avocat du vieillard ait relevé de nombreuses incohérences dans la preuve de la Couronne, la Cour le reconnaît coupable de l'attentat. Il est condamné à l'emprisonnement à perpétuité sans possibilité de libération avant 25 ans, peine qu'il purge à l'Institut Philippe-Pinel, un établissement accueillant les criminels aliénés.

En 1993, le prophète homicide s'éteint d'une crise cardiaque à l'âge de 73 ans, quelques jours avant son troisième appel.

LES ANNÉES

1990

LA MÉTÉO NE VOULAIT PAS

MONTRÉAL, 1993

Ils devaient apparaître au siège social de la banque par la porte du personnel. Bloquer les ascenseurs, poser des bombes difficiles à désamorcer sur chacun des étages, puis s'emparer des quelque 200 millions de dollars — leurs estimations — qui se trouvaient dans la salle de comptage, après en avoir maîtrisé les employés. Un complice appellerait ensuite la police : faites évacuer l'édifice, fournissez-nous un avion et deux camions de la Sécur ; on a un pilote parmi nous, et on a aussi des otages, ne l'oubliez pas. Des demandes à gros budget. De quoi en mettre plein la vue. En réalité, ce ne serait pas par la voie des airs qu'ils s'évaderaient, mais plutôt par celle, pestilentielle, des entrailles de la terre. La police aurait l'air d'une belle bande d'imbéciles, *bluffée* de bout en bout par des voleurs trop futés.

Pendant le braquage, un complice achèverait de percer le mur de la salle de comptage pour faciliter leur évasion. Ni vus ni connus, ils sortiraient par un trou d'homme, atteindraient le plancher d'un camion de service par un tunnel pratiqué à même un égout collecteur de la ville, et fileraient en douce avec leur magot, pendant que la police s'escrimerait à satisfaire leurs demandes. Le coup du siècle ! Celui dont rêvent tous les brigands qui souhaitent prendre la proverbiale clé des champs, loin de leur vie de crimes. Leur coup frapperait l'imaginaire. Il serait aussi inspirant que le cambriolage de la Banque de la Nouvelle-Écosse qu'avait réussi Georges Lemay en juillet 1961 (voir aux pages 49-53 pour lire cette histoire). Ce crime étalon du vol parfait avait inspiré tous les ambitieux de leur trempe, de Québec à Paris.

Mais en attendant que se réalisent les rêves qu'ils caressent, le métier de bandit n'est pas une sinécure... Si le scénario qu'ils ont conçu pour le braquage leur paraît simple (!), sa préparation demande du temps, des moyens, des ressources. Il faudra une bonne organisation, de l'expertise, ainsi qu'une bonne dose de folie. Mais pas d'inquiétude ! L'équipe a fait ses preuves. En 1990, elle a volé le chargement d'un avion blindé de la Brinks, ce qui lui a permis de détourner une quinzaine de millions de dollars en lingots d'or, en obligations et en liquidités — une somme qu'ils ont en partie perdue pour avoir confié l'or et les obligations à des trafiquants peu fiables. Après répartition, ils ont quand même empoché 600 000 $ par tête, qu'ils ont en partie réinvesti dans ce coup qu'ils conçoivent comme leur chef-d'œuvre.

Mais qui sont-ils donc ? Leurs noms — ou leurs pseudonymes — sont déjà connus de certains. Le chef se prénommerait Gilles, aussi appelé « Sourire » parce qu'il est taciturne et secret. Homme de contacts et de ressources associé aux cartels de la drogue sud-américains, contrôlant une partie du marché montréalais de la cocaïne et du haschich, il dispose d'une quantité remarquable de taupes qui, contre rémunération, lui fournissent de précieuses informations — par exemple, des plans des égouts de la ville et du siège social de la Banque de Montréal, qui se trouve au 160, rue Saint-Antoine. Sourire est sans doute le cerveau principal d'une affaire qui compte au moins deux têtes : l'autre s'est donné le nom de Marcel Talon dans sa biographie. Ce dernier détient une maîtrise en électronique obtenue en prison, là même où il a rencontré Sourire. Non seulement Talon a de véritables doigts de fée quand il est question de fabriquer des bombes intelligentes, des détecteurs de mouvements et des systèmes d'alarme, mais l'homme a de l'éthique : après avoir fait deux victimes lors de coups précédents, il refuse de s'impliquer dans des projets qui risquent d'entraîner mort d'homme. On a ainsi affaire à un « criminel indépendant » qui ne veut rien savoir des magouilles et allégeances des grands syndicats du crime ! Les autres ? Normand, un braqueur à la gâchette facile ; Gordon, un expert en serrures ; Richard, qui sait se rendre utile avec ses gros bras — mais pas quand il commet la gaffe d'acheter du matériel avec sa propre carte de crédit — et Julius, leur chauffeur.

Le plan a été comploté à la fin de la période des fêtes. Les truands se sont astreints tout l'hiver à creuser leur souterrain, à raison de huit heures par jour. Après qu'ils aient pris un déjeuner dans un *greasy spoon* à « serveuses sexy », le camion de service trafiqué les amène au-dessus d'un grillage d'égout près de la rue Bonsecours, où la police tient ses quartiers généraux. Une porte exercée à même le plancher du véhicule permet de soulever le couvercle de la bouche à l'aide d'une poulie. Les hommes s'enfoncent dans les miasmes infects d'une eau centenaire. À une certaine distance, des digues de fabrication artisanale maintiennent l'eau à une hauteur suffisante pour qu'il soit possible de naviguer à bord de pneumatiques sans que ceux-ci ne s'abîment sur des sédiments rocheux. L'un des plus vieux égouts collecteurs de la ville se trouve deux kilomètres plus loin ; une douzaine de mètres à peine les séparent des fondations de la banque. C'est dans cette direction qu'ils ont creusé tout l'hiver, en se servant des débris évacués pour former un barrage préventif contre les inondations. Aujourd'hui, ils sont devant le mur de la banque. Enfin !

On compte creuser une excavation qui ne laissera qu'une paroi d'environ cinq centimètres de béton entre l'égout et la salle de comptage, paroi qu'on défoncera prestement de l'autre côté, le jour venu. Il a d'abord fallu déterminer l'épaisseur de ce dernier mur. Grâce à quelques visites de l'établissement — par la grande porte, déguisés en cadres respectables — Talon, Sourire et Normand, ensemble ou séparément, sont parvenus à examiner les lieux de près, notamment grâce à leurs porte-documents, où se cachaient des caméras. Un jour, Normand est passé par la salle de comptage pour y repérer le petit trou qu'ils avaient pratiqué à travers le mur. Après avoir reçu un signal par walkie-talkie, Talon, de l'autre côté, y a introduit une baguette à souder, jusqu'à ce qu'elle rencontre le paquet de cigarettes posé sur l'ouverture par Normand. Puis, Talon a retiré la baguette et pris la mesure : le mur faisait 60 centimètres. Aujourd'hui, ils peuvent commencer à creuser les derniers 55 centimètres qui les séparent de la réussite. Munis de lances thermiques en magnésium capables de passer à travers n'importe quelle matière ou presque, ils accomplissent la besogne.

Mais creuser ce tunnel a pris du temps. Trop de temps. Le printemps est déjà là, avec sa succession de gelées et de dégelées qui provoquent, entre autres irritants, des nids-de-poule par centaines. Il a commencé à bouleverser le sol.

Dans la langue des assurances, on qualifie les catastrophes naturelles d'« actes divins », une catégorie particulière qui permet aux assureurs de refuser de verser des dédommagements à leurs clients. Dans la mémoire collective, les annales météorologiques ne recensent aucun acte divin pour la période se situant entre la fin de mars et le début d'avril 1993 ; certains se rappelleront peut-être une dernière tombée de neige. Ni tornade, ni inondation, ni verglas, tremblement de terre ou éruption volcanique ne secoue la ville. Mais ce que découvrent les excavateurs au lendemain de cette ultime tempête ne manque pas de provoquer leur désarroi : une partie de la voûte de leur tunnel vient de s'effondrer. Ils comprennent plus tard que les vibrations provoquées par une chenillette de déblaiement ont suffi à tout saboter. Un arbre rachitique, planté à la va-vite sur le trottoir de la rue Saint-Antoine, s'est enfoncé à une profondeur d'un mètre dans le tunnel qui passait juste sous lui.

Après avoir dépensé 300 000 $ en équipements de toutes sortes, après avoir rivalisé d'ingéniosité pour préparer le vol parfait, après avoir passé quatre mois à creuser dans un bourbier infect en s'exposant aux infections, aux maladies, à la puanteur, si près du but, ils repartiraient bredouilles ! Adieu, veau, vaches, cochons, couvée... Continuer est hors de portée pour leur bourse et, surtout, beaucoup trop dangereux.

Les égoutiers montréalais ne tardent pas à découvrir que cet arbre ne s'est pas enfoncé dans le sol par le seul effet de causes naturelles. La nouvelle se répand vite : le siège social de la Banque de Montréal est passé à un cheveu de se faire dévaliser. Des inspections plus fouillées permettent de découvrir le chantier du tunnel, ainsi qu'une bonne part des outils, que l'équipe a dû abandonner. C'est peut-être non sans admiration que des policiers d'expérience admettent qu'il s'agit là d'un chantier conçu par de véritables pros. Si la presse se perd en conjectures pour savoir qui a commandité le coup, elle ne se trompe pas quant au degré de préparation et à l'ingéniosité des cambrioleurs. Pour ces derniers, c'est là bien piètre consolation : du jour au lendemain, ils voient s'envoler leurs projets de retraite dans le Sud. À tout le moins, aucun suspect n'est inculpé.

Il faudra qu'un autre coup de Sourire, Talon & Cie tourne à la catastrophe en 1994 pour que Talon, se sentant menacé par ses anciens comparses, se résigne à se confier aux policiers sur cette affaire et quelques autres, afin de se protéger. Il en résulte un récit de vie hors du commun, *Et que ça saute !*, publié en 1996, ainsi qu'un film haletant, *Le dernier tunnel*, sorti en 2004. Ainsi, faute d'avoir pu mettre la main sur le magot qu'ils convoitaient, les ingénieux criminels sont réduits à profiter d'un succès d'estime...

LE BOURREAU DE BEAUMONT

BEAUMONT, 1997

L'histoire qui va suivre a suscité un énorme battage médiatique ; on l'a tant racontée qu'elle a perdu de son horreur première. Toutefois, les faits survenus témoignent d'un tel sadisme, la souffrance engendrée fut si importante, qu'elle conserve toute sa puissance d'évocation par-delà les années et les versions.

En janvier 1997, celui qu'un interdit de publication oblige à désigner du terrible surnom « Bourreau de Beaumont » est condamné à 22 ans de pénitencier pour les supplices qu'il a fait subir à ses enfants et à ses femmes, 13 années durant. Ce désastre aurait pu être évité : en tout, 14 signalements ont été faits à la Direction de la protection de la jeunesse avant qu'une action en justice soit entreprise contre le monstre. Entre-temps, ce maître manipulateur a réussi à déjouer la justice, tristement secondé par l'incompétence de la DPJ et par ses propres fils qui, à la fois terrorisés par leur tortionnaire mais attachés à leur père, ont tout fait pour en détourner les soupçons. Aussi, la famille passe de taudis en taudis : Val-Bélair, Vanier, Saint-Rédempteur, Loretteville, Beaumont... Ces déménagements incessants achèvent de confondre les travailleurs sociaux entre les mains desquels échoue périodiquement le dossier.

De l'avis de tous, le Bourreau ressemble à monsieur Tout-le-Monde: plutôt petit, voire trapu, il joue le père affable, toujours prêt à rendre service et débordant d'affection pour sa famille. Dans la vie privée, cependant, le Bourreau n'est satisfait que lorsqu'il parvient à réduire ses proches à une soumission totale. Pour ce faire, ses moyens sont nombreux, et d'une cruauté inouïe. En plus de violences physiques et morales au quotidien, il régit dans le moindre détail l'existence de ses enfants.

Ceux-ci, l'aîné en particulier, n'ont aucune liberté, aucun droit. Pas de couverture lorsqu'il fait froid. Pas de télévision. Pas de larmes. Interdit de se laver ou de changer de vêtements, de manger, de boire, d'uriner, sauf selon certaines conditions et à des moments expressément définis, espacés de manière sadique. Au retour d'une absence, le Bourreau passe un doigt dans la bouche de son fils aîné afin de s'assurer qu'il lui a bien obéi. S'il soupçonne que celui-ci a dérogé à ses ordres, l'enfant est battu sur-le-champ, à coups de poing et de barre de fer.

Par ailleurs, il n'est pas permis aux enfants de se lever durant la nuit pour aller aux toilettes ou pour boire de l'eau. Couchés sur le ventre, la seule position autorisée, les membres droits et le visage dans l'oreiller, ils ont le choix entre deux terribles scénarios: uriner dans les draps, puisque leur père les a forcés à engloutir un énorme verre d'eau avant d'aller au lit — ce qui leur vaudra d'être soulevés par les organes génitaux, battus et étouffés, avant de se faire enfoncer le visage dans leur flaque d'urine, jusqu'à ce qu'ils s'évanouissent —, ou se lever et aller aux toilettes: il faut alors être infiniment silencieux et connaître les lattes du plancher qui ne grincent pas. L'enfant qui cède à la soif malgré la terreur devra quant à lui se désaltérer comme un chien.

Quelle que soit la situation, il ne leur est jamais possible de s'en tirer à bon compte.

Les coups pleuvent quotidiennement, de trois à quatre fois par jour, sous les prétextes les plus divers et pour les torts les plus infimes. Ces périodes de châtiment durent jusqu'à 20 minutes. Dans les dernières années, celui que l'aîné appelle Paul Gagnon dans son autobiographie s'aide même d'une équerre en métal.

L'humiliation est aussi une des techniques de domination favorites de « Paul ». Patrick, l'aîné, est tenu responsable des fuites nocturnes de son très jeune frère. Au matin, son père lui enfonce des couches pleines dans le visage, jusqu'à ce que l'urine l'étouffe et lui brûle les yeux. Le père indigne prétend en riant que cette pratique combat l'apparition de l'acné.

En plus d'infliger des sévices à sa famille, le Bourreau s'adonne aussi à la torture des animaux. Un épisode particulièrement sordide provoque un scandale dans l'opinion publique lorsqu'il est décrit devant le tribunal : l'histoire de Jafar.

Jafar est un berger allemand qui n'a jamais connu l'amour et le confort dont jouissent la plupart des animaux de compagnie. Après une courte période de grâce — qu'il passe attaché à une laisse —, le maître infâme décide d'en finir avec lui. Est-il las d'entendre des aboiements ? Est-ce un énième fantasme sadique ? Une nouvelle manière de torturer psychologiquement son fils ?

Par un après-midi ensoleillé d'automne, le Bourreau se munit d'une corde et d'une pelle, puis emmène chien et fils aîné en forêt. La corde en nylon tressé qu'il traîne bat la mesure de ses pas. À mesure qu'ils s'enfoncent dans le bois, l'animal est de plus en plus nerveux. Le père sadique se décide à le pendre à un arbre devant le jeune garçon, terrorisé. Le chien, toujours vivant, se tord de douleur. Le père veut alors que son fils assomme Jafar avec un marteau ; Patrick en est incapable. Pendant que celui-ci tient la corde, le père assène trois coups violents derrière le crâne du chien, qui meurt enfin.

Le Bourreau éprouve un plaisir certain à pratiquer ces cruautés. La méchanceté pure de certains de ses « jeux » dépasse l'entendement. Par exemple, il demande à Patrick de tremper des morceaux de pain dans de l'eau de Javel. Puis, il lance ces morceaux à des goélands, qui, après avoir gobé ce cadeau empoisonné, vomissent en plein vol. Un autre jeu consiste à demander à Patrick de choisir sa mort : la hache ou la corde ?

Lorsqu'il n'est pas battu, humilié ou menacé de subir le sort de Jafar, l'aîné a une vie qui se résume à faire le piquet pour des fautes aussi nombreuses que fantaisistes, dans une position rappelant un supplice médiéval : face au mur durant des heures, les mains jointes paume à paume dans le dos, le jeune Patrick doit maintenir la pose sans broncher. Il a bien sûr droit à quelques coups de poings derrière la tête.

De plus, l'enfant est l'esclave en titre de la famille. Responsable du ménage, il doit s'assurer d'exécuter ses tâches parfaitement, rapidement et toujours de la même façon. Un jour, il ose utiliser de l'eau tiède pour la vaisselle, alors que celle-ci est toujours réglée au plus chaud. Le tyran, furieux qu'on ose désobéir à ses instructions, vide l'évier, le remplit d'eau bouillante et y plonge les mains de son fils pendant si longtemps que sa peau décolle.

Cet enfer ne prend fin qu'en 1995, lorsque le plus jeune des enfants, Guillaume, alors âgé de six ans et demi, avoue son calvaire à la police. Jean Labé, le pédiatre qui évalue leur condition de santé, confie n'avoir jamais rien vu de tel en matière de maltraitance : le plus vieux, alors âgé de treize ans et deux mois, ne pèse que 28 kilos, ce qui correspond au poids d'un enfant de neuf ans ; le fils cadet, âgé de sept ans, n'en paraît pas plus de quatre et demi.

Comment un seul homme peut-il faire autant souffrir ses propres enfants ?

Il est évident que ces supplices ont laissé des marques profondes et durables chez les victimes, mais ces dernières finiront par se révéler plus fortes que le démon qui leur servait de père. Devenu adulte, l'aîné détaille l'enfer de ses premières 14 années de vie dans son autobiographie intitulée *Fils de bourreau : les confidences d'un enfant martyr.*

Cette affaire mène par ailleurs à une vaste commission d'enquête sur la gestion des dossiers au sein de la DPJ. Absence de suivi, dossiers passés de main en main, laisser-aller général, manque d'expérimentation et surmenage des travailleurs sociaux : tout cela a contribué à ce que des enfants innocents aient subi un calvaire insensé, et ce, malgré tous les signalements dont ils furent l'objet.

L'affaire du Bourreau de Beaumont fait toujours couler de l'encre. Le 24 septembre 2011, celui-ci a été remis en liberté au deux tiers de sa peine, tel que le prévoit la loi, et malgré les recommandations de la Commission nationale des libérations conditionnelles, dont le rapport mentionne entre autres la « pédophilie bisexuelle non limite à l'inceste », le « trouble de la personnalité non spécifique soit sadique » et le « sado masochisme sexuel » du criminel, tout comme sa tendance à recourir à la victimisation et à la manipulation des intervenants afin d'arriver à ses fins. La liberté du Bourreau est toutefois soumise à une condition d'assignation à résidence, étant donné le risque qu'il représente pour la société.

CE QUE FABRIQUAIT VALÉRY

MONTRÉAL, 1992

Les signes de son agressivité étaient détectables dès sa première apparition à l'Université Concordia, un jour de décembre 1979. Il s'était présenté sans rendez-vous au département de génie mécanique, avait insisté pour en rencontrer le directeur; c'était déjà inhabituel. Or, T. S. Sankar, alors chef du département, est impressionné par le cursus de Fabrikant. Par la vie qu'il a quittée, aussi. Études brillantes à Moscou, thèse dirigée par le renommé Vladimir V. Bolotin, statut officieux de dissident du régime soviétique… Et puis, entre immigrés, on pouvait bien s'entraider. Même si Fabrikant, pour commencer, devrait se contenter d'une tâche d'assistant sous-qualifiée et sous-payée, c'était un début.

Valéry Fabrikant monterait les échelons rapidement. Dix-huit mois plus tard, il donnait des cours, poursuivait des travaux de recherche. Son salaire, bien sûr, avait crû. Il publiait sans relâche des articles scientifiques. Ses étudiants le respectaient. Il fonderait même une famille, fonctionnelle sous tous les rapports : la structure familiale n'est pas un problème pour lui. La vie universitaire, par contre…

*

Ce que nous appellerons ici la crise du cours de français est un modèle de ce qui allait suivre.

En 1983, Fabrikant a pris l'habitude de se plaindre en classe de la médiocrité du cours et de son professeur. La matière est trop simple, le professeur fume et parle un mauvais français — du joual, disait-il —, l'empêchant d'acquérir un français correct. Les étudiants comme le professeur envisagent d'abandonner le cours tant pleuvent les plaintes de l'élève Fabrikant.

Une injonction le somme de ne plus fréquenter la classe. Fabrikant s'empare de l'avis et le déchire devant le groupe. La mâchoire des étudiants et du professeur en tombe...

Les autorités de l'Université le bannissent de tous les cours de la formation continue. La méthode Fabrikant est déjà toute là : quand la preuve du désordre qu'il provoque est faite, il obtempère, tout en faisant entendre ses plaintes à des paliers plus élevés. Plaidant que l'Université lui refuse des chances d'avancement en l'empêchant d'apprendre le français, il réclame une compensation financière à l'Ombudsman et au recteur.

Cependant, il continue d'enseigner et de collaborer aux projets de recherche. Lorsqu'il est libre, il étudie les effets produits par la friction des matières en mouvement.

En 1990, la question de lui accorder ou non le statut de professeur titulaire se pose. Ses problèmes de comportement, déjà légendaires, font hésiter. Les discussions patinent. Personne n'ose appuyer la volonté de la vice-rectrice à la vie académique, le Dr Rose Sheinin, qui souhaite s'en débarrasser. Le contrat de Fabrikant est renouvelé ; il devient professeur associé, privé du droit de postuler à la titularisation avant la fin d'une probation exceptionnelle de trois ans. On espère qu'il se calmera. Grave erreur.

Sa première démarche en qualité de professeur associé consiste à réclamer une année sabbatique. Le Dr Sam Osman, alors directeur de la chaire de génie, refuse catégoriquement. Fabrikant vient tout juste d'obtenir ce poste que, déjà, il tente de s'en défiler ? C'est le début d'une guerre épique. Fabrikant attaque ses collègues et son département, accuse leurs pratiques douteuses, relève les situations de conflit d'intérêt. S'il met souvent le doigt sur des problèmes réels, les moyens qu'il emploie pour les dénoncer confinent le comportement pathologique. Les professeurs dont Fabrikant a autrefois sollicité la cosignature de ses articles sont les premiers éclaboussés : ce sont des imposteurs, des parasites, des profiteurs qui conspirent pour lui voler ses idées. Évoquant à mots couverts Marc Lépine et la tragédie de Polytechnique, Valéry Fabrikant menace de faire le ménage : « Je sais comment on obtient ce qu'on veut dans ce pays. En tirant dans le tas, à l'américaine ! » Qui plus est, il met à son service une technologie encore toute jeune, Internet, et fait pleuvoir dans les boîtes de courriels de la communauté scientifique le récit détaillé de ses humiliations.

Çà et là, on examine les clauses d'urgence de la convention collective pour le limoger. On passe son dossier scolaire au peigne fin en quête d'irrégularités ou de références manquantes. La rumeur court qu'il est armé ; de fait, Fabrikant sollicite de ses employeurs les signatures requises pour obtenir un permis de port d'armes de poing — sans succès.

Juillet 1992. Fabrikant, qui commence sa troisième année de période probatoire, apprend qu'il devra enseigner deux cours de design, pour lesquels il ne se sent pas qualifié. Le Dr Osman veut sa peau, c'est certain. À la mi-août, Valéry Fabrikant loge une plainte en justice contre l'Université, afin qu'on le déleste de cette charge et qu'il obtienne le congé sabbatique qu'il demande. Des conseillers légaux de l'Université rédigent quant à eux une lettre enjoignant à Fabrikant de « se maîtriser », sans quoi son emploi serait compromis. On ignore s'il en a eu connaissance ou non.

L'après-midi du 24 août 1992, Michael Hogben, professeur associé de chimie et de biochimie, et président de l'association syndicale, se présente au bureau de Fabrikant dans le département de génie mécanique, au neuvième étage de l'édifice Henry F. Hall. À peine a-t-il sorti de sa valise une lettre d'injonction le sommant de ne plus harceler ses collègues qu'il se trouve mis en joue par un pistolet de calibre .38. Trois coups de feu retentissent. Hogben est atteint à la tête et au cœur. Il s'écroule, la lettre toujours dans ses mains. Fabrikant enjambe le corps et le pousse pour dégager la porte.

Le professeur Aaron Jaan Saaber regagne son bureau, dont il est sorti à cause d'un bruit bizarre. Des travaux de construction, sans doute. Il reprend le combiné du téléphone pour conclure une conversation avec sa femme. Un étudiant, Peter Lawn, 26 ans, est assis face à lui. La silhouette de Fabrikant se profile à travers le cadre de porte. L'expression de Saaber se durcit. « Ne pointez pas ça vers moi, je suis sérieux », crie-t-il.

Les coups partent. Saaber crie et tombe. Lawn se retourne ; Fabrikant est déjà parti. « Vous pouvez vous relever maintenant », dit-il. Puis ses yeux s'écarquillent d'horreur. Saaber ne se relève pas. Du sang lui sort de la tête et du ventre.

À l'origine, Fabrikant voulait certainement liquider le Dr Swamy et le Dr Sankar, qui sont les premiers à subir ses attaques concernant les conflits d'intérêt et la pratique de la cosignature scientifique. Faute de les trouver dans leur bureau, il se contentera de tirer sur ceux qui seront à sa portée. Elizabeth Horwood, une secrétaire qui passe dans le couloir, reçoit ainsi une balle à la cuisse.

Fabrikant se dirige ensuite vers le département de génie informatique et électrique, à l'autre extrémité de l'immeuble. Il entre dans le bureau du directeur départemental, Phoivos Ziogas, alors en pleine discussion avec Otto Schwelb, un collègue. Fabrikant tire sur Ziogas à bout portant ; une balle lui érafle le front. Ziogas se jette sur lui. Une violente mêlée s'ensuit sous les yeux d'Otto Schwelb, abasourdi. Un deuxième coup est tiré : la balle fait des ricochets dans l'abdomen de Ziogas, endommageant la rate, le foie, le pancréas et les intestins. Il s'évanouit, entraînant Fabrikant dans sa chute. Se décidant enfin à agir, Schwelb empoigne la veste de l'agresseur et le sort du bureau. Le fusil et les lunettes du forcené se retrouvent par terre et Fabrikant, l'œil fou, colle son poing au visage de Schwelb, qui riposte. Celui-ci l'éloigne de la scène à coups de pieds et tente de l'enfermer dans un des bureaux. Croyant Fabrikant désarmé, il court porter secours à Ziogas.

Fabrikant se relève. Il a encore deux armes sur lui. Il veut attaquer le doyen de la faculté, qu'il planifie surprendre dans son bureau. À l'entrée de celui-ci, il pointe son arme vers la réceptionniste, sans tirer. Matthew Douglass, un professeur de génie civil, sort d'une salle de réunion et l'aperçoit. « Un instant, s'écrie-t-il en levant la main. On va parler de tout ça, voulez-vous ? » Fabrikant tire trois fois, l'atteint à la main et au côté droit de la tête. Il part, mais revient sur ses pas pour l'achever.

Pendant ce temps, Elizabeth Horwood, que Fabrikant a blessée, s'est réfugiée avec une autre secrétaire dans le bureau d'Osman. Elles contactent le 911 et le service de sécurité. Daniel Martin, un jeune gardien de sécurité qui circule dans le secteur, entre dans la pièce où elles se sont réfugiées grâce à son passe-partout. Un autre professeur, George Abdou, est avec lui.

Martin s'empare du téléphone pour discuter avec le service des urgences quand Fabrikant apparaît sur le seuil de la porte; personne n'a songé à la verrouiller. Elizabeth Horwood crie et s'enfuit avec sa collègue par une porte de côté; une balle la frôle de nouveau. Toujours armé, Fabrikant s'embarre dans le local avec Martin et Abdou, qu'il déclare être ses otages. Il se saisit du téléphone pour faire entendre ses revendications: il annonce qu'il a tué des gens et exige de parler à des journalistes de la télévision.

Il négocie pendant une heure, la main sur le fusil qu'il a posé à terre. Dans un moment de distraction, Fabrikant lève la main et abandonne son arme; d'un coup de pied, Abdou envoie voler le fusil à travers la pièce pendant que Martin le maîtrise. Fabrikant ne résiste pas. À sa sortie de l'édifice, c'est ligoté sur une civière que le forcené, les traits durcis, apparaît devant les flashes crépitant de la presse et les caméras de la télé.

En 1993, il est reconnu coupable du meurtre de quatre de ses collègues, et condamné à la prison à perpétuité sans possibilité de libération conditionnelle avant 2017. Mais sa nouvelle campagne de salissage ne fait que commencer; c'est la justice canadienne, cette fois, qui en fera les frais. Se représentant seul dans les nombreuses plaintes qu'il a déposées, il se perd en plaidoiries interminables et délirantes, insulte les juges à répétition, rit des collègues que ses vitupérations ont contraint à abandonner leur postes à l'Université — qui, à la suite de ses plaintes, a mené une enquête sur l'intégrité des pratiques intra-muros. Au cours des 19 ans que dure cette saga, deux juges se récuseront, invoquant leur incapacité à maintenir quelque apparence d'impartialité face aux attaques répétées de Fabrikant, qui est régulièrement expulsé de la cour.

En 2000, Fabrikant décroche le titre de plaideur quérulent, réservé aux individus qui ont multiplié indûment les procédures judiciaires: désormais, un tribunal doit déterminer s'il peut agir en justice ou non. L'application de cette mesure n'étant pas rétrospective, le procès pour extorsion de la propriété intellectuelle, initié par Fabrikant la semaine même de son massacre, ne se conclut qu'en 2011, par l'acquittement des accusés. En fait, au moment de mettre ce livre sous presse, le statut de plaideur quérulent est sans doute la plus exceptionnelle promotion qu'aura réussi à obtenir Fabrikant.

UNE TRAGIQUE FIN DES CLASSES

WINDSOR, 1992

La traditionnelle randonnée de fin des classes vient de se terminer dans le parc Watopeka, une grande étendue boisée s'étendant jusqu'aux berges de la rivière du même nom. Stéphane Dion, 11 ans, rentre chez lui à bicyclette avec sa sœur Caroline, 13 ans. Ils se baladent sur les sentiers serpentant le long de la berge, aucun souci en tête. Ça y est, les vacances sont arrivées ; finis les devoirs !

Les paysages de ce coin de l'Estrie sont magnifiques ; la nature, luxuriante. Rien n'éveille leur crainte dans ce lieu relativement isolé. Windsor ne compte que 5000 âmes ; tout le monde connaît un peu tout le monde, et c'est un endroit où il fait bon vivre.

Pourtant, le danger existe bel et bien. Tapie dans les buissons, une bête féroce les guette.

*

En 1992, Sébastien Lemieux a 18 ans. Il vit avec ses parents dans l'ouest canadien jusqu'à l'âge de quatre an et demi. En 1978, sa mère s'établit à Windsor, seule avec lui. Étudiant doué, voire brillant, il se referme progressivement sur lui-même durant son adolescence. Sa mère raconte l'avoir vu pleurer pour la dernière fois à l'âge de 12 ans, alors qu'il perd son chat. Plus rien, depuis, ne semble susceptible de le tirer d'une humeur taciturne qui vire parfois à l'hostilité. L'imposant jeune homme aux cheveux noirs n'a pas d'amis, ne pratique aucune activité de groupe et ne se mêle pas aux élèves de l'école. Tout ce qui semble l'intéresser touche de près ou de loin à la mort : il collectionne les titres de Stephen King et se passionne pour les films d'horreur. Il accumule d'ailleurs les objets en forme de crâne, telles des bougies, des lampes et des jarres à biscuits. Le monde militaire le fascine aussi. Durant l'été 1991, il suit un entraînement de milicien. Même s'il abandonne le cours une journée avant la fin, il est tout de même admis dans la réserve de la milice des Fusiliers de Sherbrooke. Enfin, et cela est plus inquiétant, il possède une impressionnante collection d'armes blanches : machettes, couteaux, baïonnettes, canifs, sabres, poignards, épées ... C'est, en tout, 51 armes qu'il s'est procurées avec l'argent de sa mère — il lui a dérobé environ 1 200 $.

Ses pensées sont devenues à ce point lugubres que lorsqu'il rencontre l'orienteur de l'école, à la fin d'une année scolaire ponctuée d'échecs, Sébastien affirme ne pas vouloir vivre au-delà de l'âge de 20 ans — au terme de la rencontre, il choisit tout de même, peut-être par défaut, de se tourner vers l'écologie.

Ce jour-là, ce n'est toutefois pas son amour de la nature qui l'amène sur la rive de la Watopeka.

*

Le 23 juin 1992 vers 14 h 45, Sébastien Lemieux, caché sous des buissons, voit se profiler deux enfants. Muni d'un couteau de chasse de type Rambo, dont un côté est dentelé et l'autre, lisse et tranchant, il bondit sur Stéphane et lui inflige une forte blessure à l'arrière du cou, sans prononcer un mot. Les enfants, estomaqués par la rapidité et la violence de cette attaque, figent. Caroline se met à crier de terreur. Son frère, lui, tente de parer aux coups qui ne cessent de lui être assénés. La lame s'abat sur le garçon, encore et encore, cisaillant ses bras, traversant sa chair, plongeant dans sa poitrine. Elle déchiquète les mains désespérées qui tentent d'arrêter ce carnage.

L'aînée s'interpose entre son frère cadet et l'agresseur. Celui-ci s'en prend alors à elle, avec la même sauvagerie qui a terrassé Stéphane.

Caroline hurle encore ; cette fois, c'est un cri de guerre. Elle appelle des renforts de toute la puissance de ses cordes vocales, en essayant, sans succès, de faire culbuter son agresseur. Son frère Stéphane gît maintenant dans la poussière.

Cette violence meurtrière ne semble pas dirigée. Elle se déchaîne, indifféremment de ce qui se trouve sur son passage, pourvu qu'elle vienne à bout de la résistance qu'on lui oppose. Lemieux semble être mû par une volonté pure de supprimer.

Caroline aurait sans doute péri si Marie-Suzanne Beaucher et une autre femme, demeurée anonyme, n'étaient pas intervenues. Alertées par le vacarme, elles se portent au secours des enfants. Cela n'est pas sans conséquences : Marie-Suzanne Beaucher subit elle aussi les coups de Lemieux, et devra être conduite aux soins intensifs.

Il y a désormais trop de gens sur les lieux du massacre ; l'assassin prend la fuite et disparaît dans les taillis.

Alors que la police de Richmond organise une battue dans les boisés, un médecin constate le décès de Stéphane, qui a succombé à ses profondes entailles en quelques minutes.

*

Sébastien Lemieux n'allait pas échapper longtemps aux conséquences de ses actes barbares : à peine neuf heures plus tard, il est appréhendé à son domicile grâce à la description fidèle qu'en ont fait les survivantes.

Le jeune homme est reconnu coupable de meurtre sans préméditation ainsi que de deux tentatives de meurtre. Il écope de la prison à vie, sans possibilité de libération avant d'avoir purgé sa peine de 18 ans, une période qui est ultérieurement réduite à 14 ans. La Commission nationale des libérations conditionnelles lui refuse par deux fois un droit de sortie, jugeant qu'il n'a pas suffisamment démontré d'empathie pour ses victimes, ni de remords, ni de compréhension des raisons qui avaient pu le mener à commettre ce crime.

En 2009, il obtient finalement la permission de sortir sans escorte quelques heures par jour, afin de suivre un programme de formation professionnelle en pâtisserie.

LES PAROLES S'ENVOLENT, MAIS LES ÉCRITS ACCABLENT…

MONTRÉAL, 1993-2002

Certains criminels ont une si haute opinion d'eux-mêmes que, non contents de vivre sans se soucier de la loi, ils croient pouvoir l'enfreindre indéfiniment, tout en prenant de grands risques : leur ruse et leur intelligence sont telles que les forces de l'ordre ne parviendront jamais à les attraper… Cette propension au narcissisme les amène à vouloir démontrer leur supériorité et recevoir les louanges d'un public. Bien souvent, c'est ce besoin de reconnaissance qui entraîne leur perte.

Dans le genre, rien n'est plus incriminant qu'un aveu détaillé sur papier et fièrement signé. Un geste bien bête, quand on a tant pris soin de dissimuler ses crimes…

*

Angelo Colalillo est un dangereux prédateur sexuel, de ceux qui ne s'amendent jamais. Dès la vingtaine, il s'en prend aux femmes. Sa tactique consiste alors à offrir aux jeunes usagères du transport en commun de les reconduire au lieu de leur choix, alors qu'elles attendent dans les abribus. Une fois la proie embarquée, il la menace d'un pistolet, l'emmène dans un endroit reculé, et la viole.

Ce sombre procédé lui vaut d'être incarcéré une première fois en 1987, afin de purger une peine de 11 années. Mais la condamnation ne le dissuade pas de recommencer, d'autant plus qu'une libération sur parole lui est accordée en 1993, et ce, même s'il a toujours refusé de suivre une thérapie par aversion. Il récidive donc, et la brutalité de ses nouvelles agressions démontre son absence totale de remords.

Deux nouveaux viols lui valent un retour derrière les barreaux en 1995. Il y fait, en 1997, une rencontre qui scellera sa destinée : celle d'un autre violeur impénitent du nom de Nick Paccione. Ce dernier fait lui aussi des allers-retours entre le monde libre et la prison. En 2000, on déclare Paccione délinquant dangereux et à contrôler. La durée de son emprisonnement est désormais indéterminée : il est définitivement mis à l'écart de la société.

Une rapide complicité se tisse entre les deux agresseurs, qui partagent les mêmes penchants. Cette complicité se traduira par un échange épistolaire, Paccione étant attiré par la chose littéraire. Colalillo le fascine : celui-là est un prédateur, un vrai. Ce qu'il lui a dit de ses crimes titille les fantasmes de Paccione... Il en veut plus...

Une correspondance des plus morbides s'établit, dans laquelle Colalillo, libre comme l'air, relate ses propres exploits à son camarade emprisonné comme s'ils avaient été accomplis par un certain Bob, stratagème qui ne trompera personne. Correspondance qui, en plus de prendre un virage carnavalesque une fois que Marlène Chalfoun, l'agente de probation même de Paccione y soit impliquée, allait le perdre irrémédiablement.

En plus des fantasmes désaxés dans lesquels les deux criminels se complaisent, Colalillo dévoile, sûr de son impunité, trois meurtres horribles qu'il a commis — et pour lesquels personne, jusqu'alors, n'a réussi à remonter jusqu'à lui. Il raconte par ailleurs nombre d'agressions sexuelles, perpétrées sur de jeunes victimes qui n'ont parfois pas plus de 11 ans, et divulgue, de la façon la plus incriminante qui soit, des détails que seul le coupable peut connaître, tout comme certains de ses secrets pour éviter qu'on le repère...

Le tueur en série possède un génie infernal. Friand de séries télévisées criminelles, il s'est toujours appliqué à faire disparaître du mieux qu'il le pouvait les traces de ses agressions — avec un succès relatif, toutefois, comme en témoignent ses multiples séjours en prison. Fort heureux d'avoir un auditoire aussi captif que Paccione, Colalillo n'hésite pas à lui dévoiler ses trucs et astuces, qu'il désigne de manière loufoque : faire « *the spock thing* » signifie étrangler les victimes, généralement à l'aide d'un linge ; « *doing the fire exit* » est son *modus operandi* de prédilection, le feu étant un excellent moyen de détruire les traces, qui camoufle jusqu'à la nature criminelle de la mort.

Voici comment Colalillo dit procéder : après avoir amplement abusé de ses victimes, il les étrangle jusqu'à ce que mort s'ensuive, puis les traîne à leur lit, auquel il met le feu. La tactique a fonctionné au moins deux fois : avec Christina Speich, 12 ans, et Anne-Lisa Cefali, 20 ans.

*

En cette veille de la Saint-Valentin 1993, en plein cœur d'un hiver excessivement froid, Christina est restée à la maison, après avoir passé la nuit à travailler sur un projet scolaire. Colalillo, qui a l'habitude de traquer ses victimes durant plusieurs semaines, s'est introduit chez elle en se faisant passer pour un livreur de fleurs. Il l'agresse puis l'assassine. Rentrée à la maison pour dîner, la mère de la victime trouve leur domicile de la rue Leblanc, à Montréal-Nord, en proie aux flammes. Les autorités concluent à un incendie accidentel, selon eux dû à des fils dénudés.

Anne-Lisa Cefali connaît le même sort en début d'avril de la même année. La résidence de la rue Claude-Jutras, à Rivière-des-Prairies, est elle aussi complètement incendiée. L'enquête détermine qu'il s'agit d'un suicide, malgré que l'on sache qu'Anne-Lisa avait rendez-vous avec Colalillo, qu'elle connaissait par son frère. Ce jour-là, elle devait discuter avec lui d'un possible emploi de secrétaire...

Le 7 mai 2002, Jessica Grimard, une jolie blonde de 14 ans, est abordée par l'agresseur alors qu'elle est en route vers l'école. Colalillo disposera d'elle moins discrètement : il la viole, la poignarde à de multiples reprises, et laisse son corps mutilé dans un sous-bois, juste devant chez elle. C'est son père qui la retrouve, 24 heures après sa disparition.

Son ultime tentative de meurtre, le 30 septembre 2002, se solde par un échec. Le pyromane perd-il la main, ou est-ce son désir d'impressionner Paccione qui le rend moins efficace ? S'étant fait passer pour un huissier de justice, Colalillo s'introduit chez une étudiante de 22 ans à Sainte-Thérèse. Il la viole, l'étrangle puis la traîne jusqu'à son lit, auquel il met le feu. Mais la jeune fille n'est pas morte. L'alarme de feu la tire de son état semi-conscient, et elle réussit à se sauver du brasier.

La description qu'elle fait de son agresseur contribue à la capture de Colalillo, qui a lieu quelques jours plus tard, le 3 octobre 2002.

*

Entre-temps, les gardiens de prison, alertés par la présence de pornographie dans l'une des lettres, ont fini par découvrir la correspondance révélatrice. La Police de Montréal, en conjonction avec la Police de Rivière-des-Prairies, sent la piste du gros gibier ! Elle intercepte une lettre qu'Angelo Colalillo vient de déposer à la poste, et recueille ainsi ses empreintes digitales fraîches.

Ces « liaisons dangereuses » des temps modernes sont frappées d'un interdit de publication, au grand dam des médias, que cet échange épistolaire à trois fascine. À trois, oui, car Marlène Chalfoun, l'agente de probation de Paccione, s'y joint ! Celle-ci entretient des fantasmes de violence contre sa cousine et les filles mineures de cette dernière. Entre les désirs inavouables de l'agente, la prose érotique de Paccione et les récits incriminants de Colalillo, il y a effectivement de quoi remplir bien des articles juteux !

Cette sordide histoire ne connaîtra jamais d'issue judiciaire définitive. Angelo Colalillo se suicide par surdose de médicaments le 6 janvier 2004, dans sa cellule de la prison de Rivière-des-Prairies, où il était détenu à titre préventif depuis deux ans et demi. Il semble qu'il voulait éviter d'éprouver davantage ses parents par un procès qui risquait d'être très médiatisé.

Quant à Marlène Chalfoun, elle a bénéficié d'un acquittement des charges de conspiration en vue de commettre des offenses de nature sexuelle sur deux mineures et une adulte. Sa défense misait sur ses intentions littéraires, ses carences affectives et son prétendu besoin de « sauver » les monstres avec qui elle avait tissé des histoires impudiques. Rassurez-vous, elle fut au moins remerciée de ses fonctions.

LUCIDITÉ HOMICIDE

MONTRÉAL, 1992

Les faits ne sont pas en cause. Le soir du 9 mai 1992, Martin Labelle sort de chez un ami équipé d'un fusil de chasse Remington, chargé. C'est la fête des mères, mais Martin n'entend pas célébrer. Plutôt, il liquide froidement sa famille : son père, Yvon, 49 ans ; sa mère, Claude, 42 ans ; son grand frère, Rémy, 17 ans. Les parents sont abattus dans l'allée du stationnement ; le frère, dans sa chambre. Martin n'a que 14 ans.

La nature exceptionnellement odieuse du crime joue en faveur d'un procès devant le tribunal pour adultes. L'assassin ne jouira pas de l'anonymat protégeant normalement les jeunes contrevenants. Son image et son identité seront donc divulguées au grand au public. Pâle et sombre à la fois, petit et trapu — il ne mesurait que cinq pieds —, on le voit se rendre au Palais de justice de Longueuil, encadré de policiers qui le dépassent tous d'au moins une tête. Que s'est-il donc passé dans la tête de cet adolescent ?

Cette question, il faudra se la poser deux ans plus tard, au cours d'un procès qui durera quatre semaines. Les douze jurés — neuf femmes et trois hommes — devront décider du degré de responsabilité de l'accusé et de la sévérité de sa peine.

*

En présence du juge Jerry Zigman, les avocats de la défense, Mes Mario Gervais et Pierre Bélisle, évoquent d'entrée de jeu l'article 16 du code pénal, qui permettrait de déclarer l'accusé non responsable en raison de troubles mentaux. La défense se construira donc sur l'hypothèse que, la nuit du drame, Martin Labelle avait carrément perdu la raison, en proie à des idées obsédantes. Le procureur de la Couronne, au contraire, entend prouver que les meurtres de Labelle ont été prémédités et accomplis de sang-froid, alors que celui-ci était en pleine possession de ses moyens. La défense comme l'accusation s'appuieront sur l'expertise de deux psychiatres de l'Institut Philippe-Pinel : le Dr Louis Morissette, responsable de l'unité des adolescents à l'Institut, sera appelé à la barre du côté de la défense ; du côté de la Couronne, le Dr Christophe Nowakowski fournira son expertise. Un débat technique et pointu s'annonce.

Défilent d'abord dans le box des témoins d'anciens camarades de classe de Labelle, ainsi que l'ami qui a prêté l'arme du crime. Les anciens camarades de l'école secondaire Jean-Jacques Rousseau diront tous que Martin parlait depuis longtemps d'assassiner ses parents. Bien sûr, personne n'aurait cru qu'il ferait une chose pareille. Une tante maternelle, Danièle Lecours, raconte ensuite combien Martin donnait du fil à retordre à ses parents. Techniciens de laboratoire, le père et la mère sont des gens corrects sous tous les aspects : la mère est peut-être un peu dévote et renfermée, le père, autoritaire ; sans plus. Redoutant que leur fils sombre dans la délinquance et la drogue, ils lui avaient récemment imposé des règles : supervision quotidienne des devoirs, couvre-feu, nouvelle garde-robe. Le jeune ado devait informer ses parents de ses moindres allées et venues, et on envisageait de l'inscrire dans un pensionnat. Ces contraintes révoltaient Labelle — comme elles auraient probablement révolté tout garçon du même âge.

Par ailleurs, tous s'entendent pour dire que sa petite taille, due à une maladie de croissance, complexait l'adolescent. À six ans, il en paraissait quatre. La prise d'hormones de croissance avait fait pousser des seins sur son corps pileux ; une mastectomie les avait récemment ramenés à des proportions normales. Solitaire et réservé, détestant son surnom de Tom-Pouce, Martin Labelle avait tâché de trouver des réponses à ses problèmes en consultant des ouvrages de psychologie et d'occultisme, ce qui n'avait rien pour rassurer sa mère. Se donnant des airs de dur, il prétendait être impliqué dans le commerce de la drogue à son école, en plus de répéter qu'un jour, il tuerait ses parents. Malgré tout, il s'imaginait une brillante carrière : neurochirurgien, footballeur ou grand criminel !

Durant le procès, Labelle laisse les autres parler de lui, comme s'il avait confié aux témoins le soin de le définir.

Le 17 novembre, le Dr Morissette est appelé à la barre. Devant un auditoire captif, il raconte comment l'ami de Labelle lui a prêté son arme, un cadeau d'anniversaire de son père. Labelle retourne chez lui dans la noirceur ; ses parents sont partis à sa recherche, car il n'est pas rentré à l'heure. Il songe d'abord à se suicider, mais ses bras sont trop courts pour toucher la gâchette quand il pointe le canon sur son front. Il va alors dans la chambre de son frère, pointe son arme sur lui et le tue. Puis, il entend un claquement de porte de voiture. Ses parents sont revenus. Il sort, tire ; ses parents sont abattus. Labelle doit maintenant rapporter l'arme à son ami, mais il est arrêté en chemin par les policiers.

Le récit du Dr Morissette est inspiré des aveux mêmes du garçon, qui s'est entretenu avec le psychiatre sur une période de deux ans. Celui-ci conclut son témoignage en insistant sur le fait que Labelle était en proie à des idées délirantes et souffrait d'un complexe de persécution intense : il se représentait ses parents comme des tortionnaires. Son désir de devenir footballeur, grand criminel ou neurochirurgien faisait, selon le psychiatre, partie des idées qui démontraient l'absence de justesse de sa perception de la réalité.

Me Diamant n'entend pas acheter cette théorie. Où, exactement, réside le délire dans cette histoire ? Le Dr Morissette a d'ailleurs mentionné qu'au cours de leurs entretiens, Labelle s'exprimait correctement, n'entendait pas de voix hallucinatoires, et n'avait pas l'apparence d'un fou. Croyez-vous donc, demande Me Diamant, que de s'imaginer réussir dans quelque chose alors que les autres en doutent est du délire ? Ne faut-il pas voir là des désirs normaux plutôt que des délires de grandeur ? Morissette admet que cela se peut. Mais, ajoute-t-il, en psychiatrie, on rencontre régulièrement des gens qui ont des idées délirantes et qui mènent une vie normale. La différence, ici, réside dans l'intensité et l'insistance de ces idées.

Le lundi 21 novembre, le psychiatre de la Couronne, Christophe Nowakowski, présente sa contre-preuve. Son objectif est de démontrer que l'adolescent était sain d'esprit quand il a tué. De son point de vue, l'accusé souffre assurément d'une maladie psychiatrique, mais cela ne le rend pas moins responsable de ses actes. Nowakowski évoque le trouble de personnalité narcissique — lui aussi capable d'inspirer des idées de grandeur déraisonnables — pour expliquer le comportement de Labelle. Pour appuyer la théorie de la préméditation et de l'exécution lucide, il se réfère au soulagement ressenti par Labelle après les faits : le jeune garçon n'a démontré aucun remords ni tristesse — une attitude qui perdurait jusqu'à ce jour. Après tout, son projet s'était accompli. Un projet longuement mûri et planifié. Du reste, aucun antipsychotique n'a été prescrit à Labelle durant son séjour de deux ans à l'Institut. Pourquoi en aurait-il été autrement ? Labelle n'hallucine pas, il ne délire pas non plus.

Le Dr Morissette insiste : figurez-vous un tunnel auquel il n'y a qu'une seule issue. Vous croyez que vos parents vous persécutent — c'est faux, naturellement. Mais cette idée s'impose, et vous en libérer apparaît comme une véritable question de survie. Le délire est là. Ce meurtre est, en quelque sorte, une question de légitime défense psychologique ! « Ne prononcez plus ces mots-là en cour », ordonne alors le juge.

Le lundi 28 novembre, les avocats et le procureur font entendre leurs plaidoiries avant de confier au jury le soin d'énoncer son verdict. Délire ou meurtre au premier degré ? Tel est l'enjeu principal. Mais qu'est-ce que le délire ? Les deux médecins-experts ne s'entendent justement pas sur la définition de ce terme crucial. Les jurés redemandent d'écouter l'enregistrement du juge énonçant les quatre verdicts possibles : meurtre prémédité, meurtre non prémédité, homicide involontaire, ou non-responsabilité pour troubles mentaux.

L'enjeu du débat est de nature abstraite. Ce qu'on a confié aux jurés, c'est, ni plus ni moins, de déterminer a posteriori l'état mental de l'accusé au moment des meurtres.

*

Le mercredi 7 décembre 1994, les jurés déterminent que Labelle était lucide au moment du crime, et rejettent la thèse d'aliénation mentale présentée par la défense. Le juge le condamne à une peine à perpétuité sans possibilité de libération conditionnelle avant dix ans.

Le jeune garçon, qu'un retard de croissance avait torturé, entrait prématurément dans la cour des grands, par la porte de sa lucidité homicide.

UN ÉCRAN DE FUMÉE DEVANT LE SOLEIL

MORIN-HEIGHTS, 1994

Le 5 octobre 1994, les morts violentes et simultanées de 53 membres de l'Ordre du Temple solaire ébranlent le monde : 23 corps sont découverts dans une propriété incendiée de Cheiry, en Suisse ; 25 autres le sont dans un chalet de Salvan, en France. On découvre le lendemain un dernier brasier fumant à Morin-Heights, dans les Laurentides, d'où sont exhumés cinq autres cadavres carbonisés.

L'opinion publique est abasourdie par ces massacres aussi fulgurants qu'inimaginables. On se rend alors compte que les mouvances nouvel-âge — vie extra-terrestre, vibrations, conscience originelle, etc. — peuvent se révéler plus dangereuses qu'elles ne le laissaient croire.

*

Un second épisode de ces soi-disant « suicides collectifs », qui comportent en fait bon nombre d'assassinats, a lieu en 1995, dans le Trou du Diable, une grotte du massif du Vercors, en France ; un troisième a lieu en 1997 à Saint-Casimir, au Québec, où périssent les cinq dernières victimes connues de la secte. C'est ce dernier événement qui a le plus marqué l'imaginaire collectif québécois.

Même 18 ans plus tard, l'affaire de l'Ordre du Temple solaire reste nébuleuse. Ses ramifications sont complexes, et derrière la fumée de ces mises à mort spectaculaires se cachent de sordides trafics clandestins. Qui plus est, autant au Canada qu'en France ou en Suisse, les enquêtes bâclées et des jugements se contentant de non-lieux ont permis à plusieurs de croire que certains personnages haut placés avaient intérêt à ce que l'affaire soit étouffée.

Ce récit n'a pas la prétention de résoudre les multiples mystères qui planent toujours. Il s'attarde plutôt aux éléments connus ayant mené à la mort effroyable des Dubois, assassinés sur l'ordre d'un gourou à qui ils avaient donné au moins 15 années de leurs vies. Les corps des trois membres de la famille, dont celui d'un bébé, furent trouvés dans les décombres calcinés d'un chalet à Morin-Heights. Deux autres cadavres étaient dans la bâtisse ; il s'agissait des dépouilles de Colette et de Gerry Jenoud, qui se sont vraisemblablement suicidés par une surdose de médicaments.

*

Joe Di Mambro est un horloger originaire du midi de la France. Ses affaires ne connaissent pas toutes le succès que connaîtra son ultime entreprise... Condamné pour des fraudes mineures, il passe six mois en prison avant de découvrir sa vocation : maître suprême d'une secte.

À ses débuts, Di Mambro fréquente un peu tout le monde : les francs-maçons, les rosi-crucistes, les bouddhistes et même des membres du Service d'action civique, à l'époque dirigé par le ministre des Affaires intérieures françaises. En 1978, sa destinée croise celle du Dr Luc Jouret. Conférencier charismatique et éloquent, Jouret est animé d'une quête spirituelle qui frôle le mysticisme. Doté d'un physique avantageux, il attire des foules nombreuses, surtout féminines. Ce détail n'est pas superflu : Di Mambro, rondouillard, est sur le déclin de sa forme. Le futur Grand Maître de la secte des nouveaux Templiers vient de trouver son recruteur.

Débute une importante campagne dont le but est la fondation d'une secte ésotérique, sur laquelle Di Mambro aura le contrôle suprême. Ils récupèrent les membres de l'Ordre des Templiers renouvelés, dont le Grand Maître est décédé, et créent l'Ordre du Temple solaire.

Jouret appâte les adhérents parmi de simples curieux désireux d'assister à des séminaires de croissance personnelle. Son magnétisme, combiné à la manipulation experte de Di Mambro, retient dans leurs filets nombre de membres, fanatisés doucement : ils organisent des rencontres hebdomadaires où l'on échange sur l'alimentation naturelle, les médecines douces, les spiritualités alternatives... Puis, on invite les intéressés à prendre part à toutes sortes de spectacles, de célébrations, de pièces de théâtre. Éventuellement, le membre jugé « digne » — c'est-à-dire assez endoctriné — gagne en grade : il gravite toujours plus près du noyau des élus, où trônent Di Mambro et Jouret. Ce dernier prétend être la réincarnation de Saint Bernard de Clairveaux, qui a fondé les Chevaliers du Temple en 1129 après Jésus-Christ.

Ainsi, l'adepte qui prouve sa valeur en vient à être admis aux rites secrets : des cérémonies mystiques, tenues dans des cryptes souterraines ornées de miroirs, de statuettes dorées, de tapis de velours rouges. Les participants y revêtent des habits blancs ornés d'une croix rouge pattée. En fait, les gourous n'hésitent pas à employer des « effets spéciaux », même bas de gamme, afin de mieux subjuguer leurs fidèles : effets sonores, épées truquées et silhouettes holographiques sont mises à contribution afin d'exalter la foi des fanatiques. Il devient de plus en plus important de retenir certains membres, dont les portefeuilles bien garnis exigent des « manifestations physiques » et autres sensations fortes pour s'ouvrir aux Grands Maîtres.

*

Avec les années, le nombre des fidèles va croissant. Cela signifie entre autres que les fonds de l'Ordre sont de plus en plus importants. Les membres de la secte sont en effet tenus de verser une importante fraction de leur salaire, ou encore de travailler sans relâche dans une des nombreuses propriétés (appelées « loges ») disséminées en France, en Suisse et au Canada, où se trouvent aussi des fermes biologiques. Ces propriétés font l'objet de nombreuses transactions et peuvent changer plusieurs fois de mains en quelques mois, toujours à des prix différents. Ce genre de spéculation immobilière est un moyen connu de blanchir de l'argent facilement. Dans quel but ? Qui sait... De récentes allégations permettent de croire que l'Ordre du Temple solaire servait de paravent à un trafic d'armes d'envergure internationale. D'ailleurs, de plus en plus de personnages occupant d'importantes fonctions dans la société rejoignent les rangs de l'Ordre, dont les investissements, légitimes et moins légitimes, commencent à être résolument lucratifs.

Cependant, l'élément fédérateur de la secte reste de l'ordre des croyances. Il est donc essentiel que son aspect mystique reste crédible. La grossesse de Dominique Balloton, la maîtresse de Di Mambro, met celui-ci dans l'embarras. En effet, le couple est investi d'un caractère sacré. Cette sacralité était un des outils de manipulation du gourou, qui dicte les règles selon ce que lui ordonnent les mânes des Anciens ; bien sûr, cela lui permet de mieux contrôler ses fidèles. Fort ennuyé par cet accident — le Grand Maître a déjà une femme —, il prétend qu'il s'agit en fait d'une immaculée conception, révélée par les Anciens — ceux-ci ne daignent se faire entendre que de lui, bien entendu...

Di Mambro annonce au noyau dur de ses fidèles que Dominique sera fécondée à l'occasion d'une cérémonie particulièrement solennelle — et bien sûr, soigneusement mise en scène —, par le truchement d'une épée. Lorsque la pointe de la lame touche la gorge de la jeune femme, un éclair jaillit : la « conception sacrée » a eu lieu.

Neuf mois plus tard naît une fille ; on décrète qu'elle est le nouveau messie.

L'enfant est tenue à l'écart de tous, y compris de sa mère biologique ; seuls les adeptes dont les « énergies vibratoires » sont jugées dignes de l'enfant divin peuvent s'en approcher. Vêtue de blanc, elle porte un casque en permanence — elle doit se préserver des « ondes incompatibles » —, des semelles compensées — afin qu'elle soit le plus éloignée possible des « énergies de l'élément tellurique » —, des gants, et elle ne reçoit aucune éducation formelle ni ne fréquente d'autres enfants.

*

Le déclin de la secte est déclenché par une histoire de trafic d'armes. Le Grand Maître canadien, Jean-Pierre Vinet, un important fonctionnaire d'Hydro-Québec, a demandé au disciple Hermann Delorme de lui procurer trois pistolets munis de silencieux, ainsi qu'une mitraillette. Delorme avouera plus tard avoir été à ce point fanatisé qu'il ne s'est pas posé de questions quant à la destination de ces armes. Pas de chance : il fait affaire avec un agent double de la Sûreté du Québec qui se fait passer pour un petit trafiquant d'armes. L'affaire éclate au grand jour. Les journaux découvrent l'existence de l'Ordre du Temple solaire et insinuent que le trafic d'armes est bien plus important que ce seul événement. Ils exposent également l'infiltration de Jouret et de sa secte au sein même de la société d'État. Au moyen de trompeuses conférences offertes aux cadres d'Hydro-Québec, des conférences aux titres accrocheurs tels que *Le gestionnaire face au stress*, Jouret recrute en fait des cadres influents et fortunés.

Le docteur s'en tire à bon compte et pourra rapidement quitter le pays — il n'y remettra plus les pieds. Mais les séquelles de cette échauffourée avec la justice canadienne seront lourdes.

À partir de ce moment, les discours mystiques deviennent de plus en plus sombres. Des enregistrements effectués par la Sûreté du Québec, qui ont mis les lignes téléphoniques de l'Ordre sur écoute, font état de longues discussions entre Jouret, Di Mambro et d'autres membres importants de la secte : leur ton n'a rien de rassurant. Il est question de fin des temps, de transit ultime vers l'étoile Sirius...

*

Jouret et Di Mambro se donnent la mort à l'occasion du premier « transit ». Ils entraînent avec eux de nombreux fanatiques, qui désirent effectuer leur passage vers Sirius aux côtés de leurs gourous. Toutefois, une partie importante de ces victimes n'a pas participé à ce « passage ultime » de son plein gré.

Des membres ayant réclamé leurs avoirs se retrouvent aussi dans le charnier. Ceux-là portent des marques de violence qui ne laissent aucun doute quant à la manière dont ils sont morts. Et que dire des cadavres saccagés d'enfants, battus ou empoisonnés, puis immolés au côté de leurs parents ?

Au Québec, les Dubois, membres séminaux du mouvement, appréciés de tous pour leur générosité et leur joie de vivre, avaient commencé à prendre leurs distances de la secte. Tony, qui était en charge de la machinerie et des effets spéciaux lors des rituels, avait de plus en plus de scrupules à exploiter la crédulité des adeptes.

Il est probable que ces disciples désenchantés étaient sur le point de rompre définitivement avec l'Ordre du Temple solaire. Mais ils en savaient trop pour qu'on les laisse partir aussi simplement. De plus, Di Mambro ne digère pas que ces disciples de longue date aient osé concevoir un enfant sans sa permission. Et puis, ils ont donné à cet enfant le même prénom que celui de la jeune messie ! Un tel outrage ne peut pas rester impuni...

Di Mambro charge son exécuteur des basses œuvres, Joël Egger, ainsi que Dominique Balloton, qui est toujours sa maîtresse, d'aller régler leur compte aux dissidents ainsi qu'à leur progéniture, qu'il a reconnue comme l'antéchrist.

Le 30 septembre 1994, Dominique invite les Dubois à souper. En réalité, il s'agit d'un prétexte pour les attirer dans le chalet de Morin-Heights, où un dispositif d'ignition a été installé. Les sbires du Grand Maître battent d'abord le couple à coups de batte de baseball, puis le trucident à coups de couteaux. Le petit Emmanuel, qui n'a pas même un an, n'est pas épargné : les sanguinaires exaltés lui fichent un pieu dans le cœur.

À quel niveau d'exaltation mystique faut-il se rendre pour être capable de commettre des gestes aussi affreux ?

La police établit qu'un coup de téléphone fait le matin du 4 octobre 1994 déclenche le dispositif d'ignition qui met le feu au chalet. Ce n'est que deux jours plus tard, lorsque les enquêteurs se rendent compte qu'une des cloisons sonne creux, que les dépouilles à demi consumées des Dubois sont retrouvées dans un placard.

Sitôt les meurtres accomplis, Joël et Dominique ont quant à eux pris l'avion vers la Suisse : ils iront mourir à leur tour dans le massacre de Cheiry.

*

Le grand nombre d'incohérences dans cette affaire laisse croire à une intervention extérieure à la secte ; on peut à tout le moins supposer qu'il existe encore des gens au fait de ses secrets. Mais la justice n'a jamais réussi à le prouver. Pantoise devant autant de dévote démence, elle a préféré croire à une orchestration intérieure des massacres, plutôt que de suivre la piste du trafic d'influence.

DES FLEURS POUR JULIE SURPRENANT

TERREBONNE, 1999

Peu de souffrances se comparent à celle des proches de personnes disparues. Ceux-ci vivent une angoisse dont le terme est incertain : elle dure parfois des années, voire toute la vie. L'enquête piétine ; les preuves manquent pour inculper les suspects ; des indices ne sont pas transmis à la police ; les corps ne sont jamais retrouvés… On dit alors que la vie continue, et si l'acuité de la souffrance va en diminuant avec le temps, les questions, elles, restent présentes. Quand s'ajoute à cette souffrance le manque de compassion des institutions, le calvaire atteint son apogée.

C'est un calvaire de la sorte qu'a vécu Michel Surprenant. Durant 12 longues années, il s'est demandé ce qui était arrivé à sa Julie, disparue un soir de novembre. Ce furent 12 années de lutte contre un système dépersonnalisé et aliénant, qui a privé un père des réponses auxquelles il avait droit.

La triste histoire débute à Terrebonne en 1999. Séparé de sa conjointe depuis peu, Michel s'est établi dans un immeuble à logements au 467 de la rue Castille. C'est un immeuble de briques grises comme il y en a tant en banlieue, situé dans le quartier de l'île Saint-Jean, un coin résidentiel, joli, tranquille, à proximité de la rivière des Mille Îles.

Le père s'est renseigné auprès du propriétaire : les voisins sont des gens calmes, des familles sans histoire. Il y a aussi un homme célibataire qui vend des voitures ; un type à la mine patibulaire, dont les yeux en fentes évoquent l'achigan. Il s'agit de son voisin immédiat.

Andréanne et Julie, ses deux filles, aménagent avec Michel Surprenant. Julie, l'aînée, est une adolescente radieuse, qui laisse aux gens une impression profonde. Elle a des cheveux bruns bouclés, un immense sourire, et son regard noisette est vif et enjoué. Un grain de beauté orne son front. Son image, le Québec tout entier l'aura en tête dans les mois qui vont suivre.

Le matin du 16 novembre 1999, Michel Surprenant constate que sa fille Julie n'est pas rentrée : la veille, elle a passé la soirée à la maison de jeunes de la rue Hauteville, comme elle le fait régulièrement. Cependant, il n'est pas dans ses habitudes de ne pas le prévenir de ses changements de plans : aucune note, aucun message sur le répondeur... Serait-elle allée directement à l'école ? Alors qu'il attend que la secrétaire de la polyvalente lui réponde, il scrute distraitement l'extérieur : devant la maison, un abribus se trouve au pied d'une passerelle piétonnière qui surplombe l'autoroute 25.

Une voix polie l'informe que Julie ne s'est pas présentée en classe. Le père s'inquiète. Serait-elle avec son amoureux ? Quand Michel parvient à entrer en contact avec le jeune homme, celui-ci s'étonne : Julie devait lui téléphoner dès son retour, la veille, pour qu'il vienne la rejoindre. Il a essayé de l'appeler lui-même, deux fois plutôt qu'une, mais il est retourné se coucher, croyant que sa copine avait fait la même chose.

La disparition est signalée vers 17 h 45. La police reçoit rapidement des témoignages sur les circonstances de ce qui semble être un enlèvement. Des battues sont organisées sur le terrain autour de la maison et le long des berges de la rivière des Mille Îles. Un avis de disparition est diffusé à grande échelle.

Personne ne reverra Julie Surprenant. L'enquête détermine qu'elle est disparue à sa descente de la ligne d'autobus 25A : le chauffeur déclare l'avoir vue sortir de son véhicule à 20 h 56. Il a remarqué un homme dans l'abribus. Des témoins auraient vu deux silhouettes se diriger vers l'immeuble de la jeune fille dans les instants suivants.

L'enquête piétine malgré une importante médiatisation, à laquelle Michel Surprenant contribue lui-même beaucoup. Mais il n'y a pas de scène de crime. Il est impossible de porter une accusation formelle : faute de preuves, les suspicions ne demeurent que des spéculations...

Pendant une décennie, Michel Surprenant n'aura donc que ses suspicions à ressasser.

Un an après les événements, Richard Bouillon, le voisin, se présente sur son palier. Il lui dit que, dans sa vie, il a fait bien des choses, mais qu'il n'a pas commis l'enlèvement de la jeune Surprenant.

Bouillon cumule des crimes à caractères sexuels depuis les années 1970. Ses parents l'auraient fait séjourner à l'hôpital psychiatrique, inquiets de ce qu'ils qualifiaient « d'impulsivité sexuelle ». Quatre ans plus tard, il est interné à l'Institut Philippe-Pinel après avoir commis une tentative de viol à l'encontre d'une fillette de six ans. Les psychiatres évoquent la possibilité de psychopathie. Il aura des démêlés fréquents avec la justice : gestes indécents en 1977, vol et possession de drogue en 1979, de nouveaux vols en 1985 et en 1986, méfaits et menaces en 1989, agression sexuelle en 1990.

Avec de pareils antécédents, l'homme est considéré comme un suspect de première importance par les enquêteurs. Ils le soumettent à un test polygraphique, ce qui leur permet de déterminer que l'homme ne dit pas toute la vérité. Bouillon se retrouvera derrière les barreaux pour d'autres motifs.

En 2001, un journaliste télé presse le suspect d'expliquer en ondes la récente perquisition effectuée chez lui par la SQ. Les policiers viennent de passer son appartement au Luminol, une substance qui permet de détecter les traces de sang, même anciennes ou nettoyées, grâce à la lumière UV. Les explications que Bouillon fournit sont nébuleuses : un ancien chambreur serait dans la ligne de mire des investigateurs... Pressé de questions par le journaliste, qui ne se gêne pas pour insinuer sa possible implication dans l'affaire Surprenant, Bouillon s'engouffre dans sa voiture, si pressé de fuir qu'il coince le bras du journaliste en fermant la porte du véhicule.

À la suite de cette confrontation, d'anciennes victimes de Bouillon le reconnaissent et portent plainte. L'une d'elles est la fille d'une ex-conjointe : Bouillon l'a violée à répétition. À l'époque, elle n'avait que dix ans. Le récidiviste est arrêté et est reconnu coupable d'agressions sexuelles. On le condamne à six ans et cinq mois de prison, qu'il purge au pénitencier de Drummondville jusqu'en 2006.

L'année 2006 marque la fin pour Bouillon: atteint du cancer du poumon, il est en phase terminale. Il passe ses dernières semaines à l'hôpital de la Cité-de-la-Santé, à Laval. Dans un accès de repentir, l'agonisant se confie à au moins deux employés, auxquels il avoue être l'assassin de Julie Surprenant. Il aurait balancé ses restes, dissimulés dans un sac de hockey alourdi de briques, dans les eaux de la rivière des Mille Îles, derrière l'église chrétienne des Malinois, à l'île Saint-Jean. Cette confession est-elle causée par une soudaine conscience morale? Par un élan d'empathie pour la famille de la victime, qui pourrait enfin vivre son deuil? Richard Bouillon trépasse le 22 juin 2006 à l'âge de 52 ans.

Il faudra attendre jusqu'en 2011 pour que ces aveux remontent à la surface: une infirmière auxiliaire, Annick Prud'homme, fait des révélations capitales au journaliste Claude Poirier dans son émission du 18 janvier. À ce qu'elle raconte, Robert Bouillon lui aurait avoué sur son lit de mort être le meurtrier de la jeune fille. Ce n'est que beaucoup plus tard, alors qu'elle regardait une émission sur les affaires criminelles non résolues, que l'employée médicale constate que la précieuse information n'est jamais parvenue aux oreilles de la police.

Bouillon a toujours refusé de collaborer avec les forces de l'ordre, même après s'être vanté du meurtre à ses codétenus. Sur son lit de mort, il insiste sur le fait qu'il ne communiquera avec personne d'autre que Claude Poirier. L'infirmière auxiliaire et sa chef ont toutes deux l'impression que la rencontre avec le journaliste a déjà été arrangée par les agents correctionnels, et croient donc que les informations ont été acheminées à qui de droit. Par ailleurs, les employés médicaux étant sous le couvert du secret professionnel, aucune disposition légale ne les oblige à divulguer les secrets recueillis *in extremis*.

De son côté, Michel Surprenant a bien tenté de faire avancer l'affaire, mais il ne s'est buté qu'à des obstacles administratifs: d'un côté, la SQ refuse catégoriquement de l'admettre au chevet de Bouillon; de l'autre, les infirmières-chefs avec lesquelles il communique évoquent le secret professionnel pour refuser de lui répéter les ultimes aveux du criminel.

*

Dans la foulée de cette saga, Michel Surprenant fonde en 2004 l'Association des familles de personnes assassinées ou disparues (AFPAD) avec l'aide de Pierre-Hugues Boisvenu (père d'une victime dont l'histoire est aussi relatée aux pages 217-220 de ce livre) ; il en est toujours le président. L'AFPAD a comme mission de conseiller et d'accompagner les familles de victimes d'actes criminels, notamment en leur fournissant de l'aide et de la documentation, et en militant pour les droits des victimes.

En 2012, la coroner Catherine Rudel-Tessier est désignée pour la tenue d'une enquête publique sur les circonstances entourant la mort de Julie Surprenant. Le but de cette enquête est de déterminer comment « mieux protéger la vie humaine » dans de pareils cas. L'audience est tenue les 13 et 14 mars 2012 au Palais de justice de Laval. À la lumière de l'important délai entre les aveux et leur transmission aux autorités, la coroner s'étonne dans son rapport qu'aucun gardien des services correctionnels — qui ne quittaient jamais le chevet du moribond — n'ait entendu la confession.

Cette enquête soulève d'importantes controverses, notamment quant aux dispositions légales entourant le secret professionnel et l'accès au dossier criminel d'un délinquant sexuel — au Québec, n'importe quel citoyen peut accéder au registre des accusations portées contre un individu ; il faut toutefois connaître la date de naissance de celui-ci. La coroner estime ne pas être en position de trancher sur ces enjeux, puisqu'ils remettent en cause des valeurs profondément ancrées dans notre société de droit, et qu'ils doivent donc être débattus dans l'espace public.

UN CANDIDAT À LA PIRE DES COMPÉTITIONS

SAINT-HIPPOLYTE, 1999

« C'est un bon gars ! Il s'impliquait dans le bénévolat auprès des jeunes. Très serviable ! » : voilà comment des citoyens de la communauté de Saint-Hippolyte ont décrit William Patrick Fyfe aux policiers lorsqu'on les a interrogés à son sujet, à la fin du mois de décembre 1999.

Employé de la petite ville où il a habité de 1990 à 1999, Fyfe est ami avec le maire et prend parfois son café matinal au poste de police local. Au moment des événements, il vient de se lancer à son compte comme homme à tout faire : peintre en bâtiment, plombier, électricien, élagueur, émondeur. « Bill l'Anglais » est le genre de personne qu'on gagne à connaître quand un problème technique survient chez soi. Mais sait-on ce qui se cache derrière ses sourires et sa serviabilité ?

D'autres personnes interrogées ont répondu différemment aux questions de la police : « Il a les yeux complètement vides. C'est un beau parleur, mais il a peu de volonté. Il méprise les femmes combatives et autonomes. » Ces citoyens sont tout de même estomaqués lorsque Fyfe est arrêté en tant que principal suspect dans quatre affaires de meurtres extrêmement brutaux, doublés d'agressions sexuelles. Ce qu'ils allaient apprendre à son sujet donne froid dans le dos.

*

L'après-midi du 15 octobre 1999, Anna Yarnold, une femme respectée de Senneville, banlieue cossue de l'ouest de Montréal, se rend chez le vétérinaire avec son petit chien. L'animal a une bosse étrange dans le cou, il devra être opéré. De retour chez elle, Yarnold, 59 ans, communique avec son mari — qui n'habite plus avec elle — pour l'informer de l'opération à venir. Une querelle éclate. À 17 h 30, sa fille l'appelle, tentant de calmer la tempête.

À 18 h 55, un homme camouflé par une veste à capuchon est capté par les caméras de surveillance d'un guichet automatique de Sainte-Anne-de-Bellevue : il fait deux retraits avec la carte bancaire de sa victime.

Le mari de Yarnold alerte la police le lendemain, après avoir trouvé le corps sans vie de sa femme dans le jardin ; il sera d'abord considéré comme un suspect.

*

Le soir du 29 octobre 1999, Nicole Gaudreau se rend chez sa sœur Monique, inquiétée par son absence à l'hôpital, où celle-ci est infirmière. Elle découvre une scène horrifiante. Monique gît nue dans sa chambre, au milieu d'une mare de sang. Son corps a été affreusement mutilé : ses mains sont charcutées ; son torse est transpercé de dizaines de coups de couteau, en plus de présenter une très longue coupure diagonale.

La chambre est sens dessus dessous. Les tiroirs ont été fouillés ; des traces de semelles ensanglantées et des gouttes de sang salissent le grand balcon de bois du chalet où Monique vivait seule. Elle avait 45 ans.

Les policiers ne lient pas les deux crimes. Ils n'auront toutefois pas à attendre très longtemps pour obtenir un nouvel indice...

*

Teresa Liszak-Shanahan est une dame de 55 ans sans histoire, comptable dans une entreprise de confection de vêtements. Lorsqu'elle s'absente du travail le vendredi 19 novembre 1999, le patron s'interroge. Au téléphone, pas de réponse. Teresa ne réapparaît pas le lundi suivant. Celui-ci décide donc de se rendre chez elle afin de vérifier que tout va bien. Le concierge du bâtiment l'accompagne à la porte.

Teresa est aussi découverte dans sa chambre. Nue, violée, poignardée à un très grand nombre de reprises. Sa boîte à bijoux a été vidée de son contenu. Ses relevés bancaires indiqueront qu'un retrait a été fait avec sa carte le vendredi matin précédent. Les caméras de surveillance montrent de nouveau ce type encapuchonné. Cette fois, les policiers comprennent qu'ils ont affaire à un seul et même homme. Mais comment l'épingler ? Les images sont floues. Ils ont recueilli des échantillons d'un sang différent de celui des victimes, mais à qui appartient-il ?

Des locataires de l'immeuble où habitait Teresa Liszak-Shanahan affirment avoir eu, le matin du drame, la visite d'un homme se prétendant plombier et offrant ses services. Toutes les dames étaient en compagnie de leur mari et, chaque fois, le plombier s'est retiré en s'excusant. Mais Teresa Liszak-Shanahan vivait seule.

*

Les policiers ont enfin une piste après le meurtre d'une quatrième femme, Mary Glen, 53 ans. Le 15 décembre 1999, elle est violemment battue et poignardée plusieurs dizaines de fois dans sa maison de Baie-D'Urfé, également dans l'ouest de l'île de Montréal. Partout, des objets brisés témoignent de la longue lutte ayant eu lieu entre l'agresseur et sa victime. Des lunettes craquées gisent au pied de l'escalier. Des pots de fleurs sont renversés. Des traces de semelles ensanglantées indiquent que le meurtrier est monté dans la chambre de la victime pour fouiller ses effets personnels pendant qu'elle mourait au bout de son sang.

Dans l'évier de la cuisine, des marques laissent croire aux enquêteurs que l'agresseur s'est lavé les mains. Peut-être ne portait-il pas de gants ? Ils cherchent intensivement deux jours durant pour finalement prélever, sur le cadre de porte de la cuisine, l'indice qu'il leur manque : la moitié d'une empreinte digitale.

Entre-temps, la panique s'est installée dans toutes les banlieues à l'ouest et au nord de Montréal. Il n'y a plus de doutes : un prédateur rôde, et il agit auprès de femmes d'âge mûr vivant seules. Après la découverte du corps de Mary Glen, une dame terrifiée de Baie-D'Urfé dit à un journaliste : « Je croyais que j'avais déménagé dans un petit coin de paradis ! » Elle avait oublié que parfois, le diable se déplace...

*

William Patrick Fyfe est connu des policiers pour de nombreux vols à main armée commis dans les années 1970 et 1980 ; il a déjà purgé plusieurs peines de prison. Ses empreintes digitales sont donc fichées. Des recherches sommaires apprennent aux policiers qu'il a vécu à

Saint-Hippolyte durant les années 1990, mais qu'à l'automne 1999, il a déménagé chez sa mère, près de Barrie, au nord de Toronto.

Le cas est transféré à la police provinciale de l'Ontario, qui prend Fyfe en filature. Une camionnette immatriculée au Québec est garée dans l'entrée de la maison de campagne où il habite. Pendant que les policiers observent ses faits et gestes, l'enquête dévoile plusieurs détails à son sujet. On apprend notamment que Fyfe fréquente une femme. Elle révèle aux policiers qu'au cours du dernier mois, il a fait plusieurs voyages à Montréal sans jamais en mentionner les raisons, qu'il avait soudainement beaucoup d'argent et qu'il lui offrait des bijoux. Étonnant, pour un homme au chômage... De plus, il a cessé de lui demander de faire son lavage.

Un policier en civil suit Fyfe jusqu'à une librairie où celui-ci consulte les journaux québécois. L'affaire a été ébruitée, et la population, mise à contribution. Beaucoup d'informations ont été recueillies.

Un élan de générosité du suspect profite grandement à l'enquête : un après-midi, Fyfe se rend à une église de Toronto pour déposer des sacs de vêtements et de chaussures dans une boîte de dons destinés aux démunis. Ces sacs sont saisis sur-le-champ. Les policiers en ont assez vu. Mandat en main, ils arrêtent Fyfe à sa sortie d'un restaurant entre Toronto et Barrie. Il se rend sans résister, proposant même aux hommes de loi de lui tirer dessus...

Fyfe tente d'abord de nier les faits, mais les preuves amassées contre lui sont accablantes. Durant son interrogatoire, stressé, il fume abondamment ; les mégots sont conservés pour qu'on y prélève son ADN. Elle concorde avec celle contenue dans les traces de sang des différentes scènes de crime. Les semelles des chaussures récupérées sont bien celles qui ont fait les traces dans les maisons, et d'infimes traces de sang des victimes sont découvertes dans les coutures des vêtements, même s'ils ont soigneusement été lavés. De plus, des bijoux appartenant à une des victimes sont trouvés dans la chambre de Fyfe, à Barrie. Bref, il est cuit. Aucune défense n'est possible.

La population est soulagée. On pense en avoir fini avec les crimes de cet homme, mais on apprend avec horreur qu'il a tué souvent.

En effet, un homme de l'Ouest-de-l'Île le reconnaît après la diffusion de sa photo dans les journaux. Il s'agit d'un ancien coéquipier d'une équipe de hockey mineur : il a perdu sa mère en 1981, dans des circonstances identiques à celles des récents meurtres. Viol, vol, coups de poignard... Fyfe était justement venu faire des travaux de peinture à la résidence familiale de Pointe-Claire, quelques jours avant le drame. Un prélèvement de spermatozoïdes est analysé : c'est bien lui le coupable. Voilà maintenant cinq meurtres sordides, étalés sur 20 ans...

Fyfe est détenu à la prison de Rivière-des-Prairies, où il est victime des mauvais traitements des autres prisonniers, qui n'apprécient guère les raisons pour lesquelles ils devront le côtoyer durant 25 ans fermes. De plus, il a de la difficulté à vivre en français, maintenant qu'il n'a plus à mentir et à faire le beau pour amadouer tout le monde... Pourquoi se forcer ? En échange d'un transfert en Saskatchewan dans une institution carcérale psychiatrique à surveillance maximale, il accepte de confesser pas moins de quatre autres meurtres commis entre 1979 et 1989 : toujours des femmes d'âge mûr, financièrement indépendantes, vivant seules dans les banlieues ouest et nord de Montréal. Neuf meurtres confirmés, voilà un horrible palmarès. Mais les policiers le tiennent pour principal suspect dans 14 autres meurtres irrésolus. Ils sont aussi persuadés qu'il est le violeur connu sous le nom de « Plombier du poste 25 » — une référence au poste de police du quartier concerné —, qui a semé la terreur au centre-ville de Montréal en 1984 et en 1985. Ce « plombier » allait cogner aux portes, proposait ses services, entrait de force et agressait ses victimes, sans toutefois les assassiner. Il aurait fait une cinquantaine de victimes.

Fyfe a toujours nié son implication, tant dans les 14 meurtres irrésolus que dans ces nombreux viols impunis. Avec hargne, il a refusé d'expliquer les raisons de sa haine des femmes plus vieilles. Pour les forces de l'ordre, le vol a toujours semblé un motif accessoire, le psychopathe prenant manifestement du plaisir à faire souffrir ses victimes.

En 2024, Fyfe sera admissible à une audience pour évaluer la possibilité d'une libération conditionnelle. Jamais, à ce jour, il n'a accepté de traitements psychologiques, ce qui laisse croire qu'une libération est plutôt improbable. Il aura 69 ans en 2024. D'ici là, peut-être confessera-t-il d'autres crimes, ou de nouveaux indices incriminants seront-ils trouvés.

Si les intuitions des enquêteurs sont exactes et qu'il est bel et bien l'auteur de 25 meurtres, Fyfe se classerait parmi les pires meurtriers en série de l'histoire du Canada.

LES ANNÉES

2000

L'HOMME AUX DETTES ASSASSINES

KIRKLAND, 2001

Kirkland, 21 septembre 2001.

Des voisins du 85, rue Alta Vista voient des flammes s'échapper du bungalow. L'un d'eux contacte le 911.

Rien ne laisse présager le drame qui s'est déroulé dans cette maison anonyme, au garage immaculé et à l'aménagement paysager de bon goût. Les habitants de Kirkland auraient pu tout imaginer sauf ce qui se cache chez l'ancien président de l'Association de hockey mineur du Lakeshore, un citoyen exemplaire du nom de John Bauer.

Les pompiers qui arrivent sur les lieux et enfoncent la porte d'entrée trouvent deux corps au rez-de-chaussée, un autre au premier étage, et deux derniers au sous-sol. Les victimes : Helen Bauer, 50 ans ; Jonathan Bauer, 22 ans ; Wesley Bauer, 18 ans ; Justin Bauer, 13 ans ; Lucio Beccherini, 45 ans, soit la femme, les enfants ainsi qu'un des associés d'affaires du propriétaire des lieux. Au sous-sol, John Bauer est retrouvé sans vie, un trou dans le crâne correspondant au calibre du revolver qui traîne à ses côtés.

Que s'est-il passé dans le foyer Bauer entre le 18 et le 21 septembre 2001 ? Qui a tué la famille Bauer ? Pourquoi un homme respecté et aimé de son entourage décide-t-il de se suicider entouré de ses proches ?

*

Rapidement les enquêteurs progressent et concluent à un quintuple meurtre suivi du suicide du meurtrier. Bauer est vite incriminé. Le scénario privilégié par la police avance que John Bauer aurait tué les membres de sa famille, son collègue de travail, ainsi que son beau-père de 75 ans sur une période de trois jours. Il se serait donné la mort la dernière journée de cet épisode sanglant.

Un ami de longue date, Bill Edwards, propriétaire du bar Cheers à Pointe-Saint-Charles, et qui avait engagé Jonathan Bauer sur la recommandation de son père, n'en revient tout simplement pas : « John était l'homme le plus gentil du monde », confiera-t-il à la journaliste de *The Gazette* Anne Sutherland.

Tom Brown, un autre ami que Bauer a rencontré au moment où il présidait l'Association de hockey mineur du Lakeshore, n'aura, lui aussi, que de bons mots pour le père de famille : « C'était une personne généreuse et dévouée. »

Quelles ont donc été les motivations de ce père reconnu pour sa gentillesse et son dévouement ?

*

Entre les mains des enquêteurs, trois notes de suicide écrites par Bauer : elles ont été postées à des membres éloignés de sa famille, habitant à l'extérieur de Montréal, qui les ont reçues pendant la semaine fatidique où ont été perpétrés les meurtres.

Ces messages prouvent bel et bien que le drame a été prémédité. Les policiers responsables d'établir les faits parlent même de plusieurs mois de préparation.

André Bouchard, commandant de la Police de la Communauté urbaine de Montréal, dresse un portrait noir de l'homme que tout le monde trouvait si avenant : John Bauer aurait prévu tous les détails de son scénario. Il aurait fait preuve d'un stoïcisme morbide quand, après avoir mis fin aux jours de sa femme, il aurait appelé l'école élémentaire Allacroft, où elle travaillait, pour indiquer qu'elle ne se présenterait pas au travail cette journée-là, un malaise la retenant à la maison.

Toujours selon les informations obtenues par la police, Bauer aurait contracté plus de 100 000 $ de dettes. Il avait perdu son emploi comme représentant pour des compagnies de bière depuis janvier 2000, et avait décidé de partir à son compte, dans le domaine des services financiers. Désespéré d'avoir subitement dégringolé l'échelle sociale, il aurait camouflé à ses proches la noirceur de ses pensées, vivant à crédit et continuant d'offrir à sa famille ce qui avait fait leur bonheur durant toutes ces années. Il envoie même son plus jeune fils à un camp de vacances onéreux, entièrement à crédit, lui assurant une dernière joie avant qu'une balle de calibre .22 mette fin à ses jours.

*

Mardi, le 18 septembre 2001.

John Bauer charge son revolver de calibre .22, joint sa femme au rez-de-chaussée, pointe l'embout du canon de l'arme sur le derrière de la tête de sa douce moitié et tire. Première victime. Patiemment, il déplace le corps d'Helen hors de la vue des gens qui entreront dans la maison, redonne à l'endroit des airs de normalité. Il attend avec calme l'arrivée de ses fils, les uns de l'école, l'autre du travail.

Un par un, lorsque ses enfants sont dos à lui, il les abat d'une balle dans la tête, s'assurant chaque fois de bien de nettoyer les lieux. Il évite ainsi que les prochains condamnés suspectent quoi que ce soit.

*

Mercredi, 19 septembre 2001.

Ses trois fils et sa femme gisent, étendus à des endroits dissimulés de la maison du 85, rue Alta Vista, à Kirkland. Elmer Carroll, le beau-père de John, subit le même traitement que le reste de la famille, dans sa maison de Notre-Dame-de-Grâce.

*

Une journée passe avant que Bauer trouve le moyen d'attirer dans son piège machiavélique un de ses associés en affaires, Lucio Beccherini, 45 ans.

Ce jeudi 20 septembre 2001, Beccherini conduit son enfant à l'école. Il poursuit son chemin jusqu'à Kirkland, au 85, rue Alta Vista, pour y rencontrer Bauer à sa demande. Il arrive vers 8 h du matin. Le meurtrier n'hésite pas et lui sert la même recette qu'à sa famille, incapable de tuer de face les gens qui lui ont fait confiance.

*

Plusieurs personnes ont témoigné avoir été jointes par Bauer et invitées à le visiter durant ces jours fatidiques. Le plan de départ de l'homme semblait donc bien plus large que celui qu'il a réalisé.

Le 20 septembre, l'assassin se donne la mort, emportant avec lui les détails du cheminement de sa pensée malade. Dans une dernière tentative de tout effacer, il allume plusieurs foyers d'incendie dans la maison familiale, avant de placer l'arme sur sa tempe. Ces flammes, peu vigoureuses et créant beaucoup de fumée, permettent aux voisins de réagir assez promptement pour sauvegarder la scène du crime.

NOTRE MÈRE MAURICE

MONTRÉAL, 2002

Acquitté. Le verdict tombe le 27 novembre 1998, après dix jours de procès. C'est la cohue à la salle des audiences du Palais de justice de Montréal: Maurice « Mom » Boucher, le charismatique chef des Hells Angels — le groupe de motards criminalisés le plus redouté de la planète —, vient d'accomplir l'impossible. Il a été acquitté pour le meurtre de deux gardiens de prison, Pierre Rondeau et Diane Lavigne, froidement assassinés en 1997. La justice n'a pas coutume d'être aussi clémente. Mais le témoignage de Stéphane « Godasse » Gagné a manqué de crédibilité. Il faut dire que de nombreux Nomads et autres Rockers n'ont pas manqué de refroidir l'atmosphère, en s'assoyant à l'avant de la salle d'audience, chacun regardant fixement l'un des jurés.

L'invincibilité de Maurice « Mom » Boucher semble alors en béton. Il entre dans la légende. Pour fêter, il se rend le soir même au centre Bell afin d'assister au combat qui oppose David Hilton, Jr. et Stéphane Ouellet. Sur les lieux, la foule de 15 000 personnes est en délire, elle applaudit Boucher à tout rompre. « Mom » aurait même reçu une ovation debout. Sans doute la foule réagit-elle davantage aux préparatifs des deux combattants, diffusés sur des écrans géants, qu'à l'acquittement du criminel. Peu importe: c'est sur ce genre de malentendus que les mythes se construisent.

*

Le petit truand d'Hochelaga-Maisonneuve a fait beaucoup de chemin depuis sa première arrestation pour vol à main armée, en 1973. Deux années plus tard, son braquage improvisé d'une salaison de la rue Ontario s'était révélé pitoyable... Boucher, saoul et nerveux, avait alors été effrayé par les détonations de sa propre carabine. Et tout ça pour moins de 200 $... Une auto-patrouille l'avait cueilli, avec son complice, à sa sortie des lieux. Ce braquage lui avait fait écoper de sa plus longue période d'incarcération...

En 1982, le rapport d'une perquisition que la Police de la Communauté urbaine de Montréal a faite dans un local des SS Montréal le nomme parmi les membres présents. C'est la preuve qu'il s'est intégré à ce club-école des Hells Angels. Il s'y est déjà mérité le surnom de « Mom », en raison de ses habitudes contrôlantes... Le club comprend aussi un certain Salvatore Cazzetta, qui deviendra le chef d'une bande ennemie, les Rock Machine, et formera l'Alliance avec des distributeurs indépendants, afin de contrôler le commerce de la drogue dans la zone convoitée qui va du centre-ville à l'est de Montréal.

En 1984, le groupe des SS Montréal se dissout et ses membres sont recrutés comme candidats potentiels par l'organisation internationale des Hells Angels. Le 5 décembre 1984, quatre ex-membres SS sont officiellement reçus; Boucher n'en fait pas partie. Il purge une sentence à la prison de Bordeaux pour agression sexuelle armée — une histoire de *lift* offert à une adolescente a mal tourné. En prison, Boucher fait régner sa loi par la force et devient le principal fournisseur de drogues de l'aile C. Sous l'effet de la drogue, il devient particulièrement mauvais, agresse des gardiens ou les menace, ce qui lui fait perdre plusieurs journées de réduction de peine. Un rapport observe qu'il se comporte « en dedans » comme il se comportait à l'extérieur, c'est-à-dire en caïd sans pitié ni scrupule. Quand il est libéré le 12 janvier 1986, il est enfin promu *prospect* dans la branche montréalaise des Hells Angels, et en devient un membre en règle en 1987.

L'organisation a alors un sérieux besoin de restructuration et de membres. Elle tâche de se remettre de l'épisode sinistre de la tuerie de Lennoxville, qui lui a fait une mauvaise publicité et attiré des problèmes judiciaires: pendant que Boucher était en prison, cinq membres *full patch* tombés en disgrâce ont été assassinés par leurs pairs lors d'une exécution collective, le 24 mars 1985. Le nom Hells Angels évoque désormais les cadavres repêchés du Saint-Laurent dans des sacs de couchage.

À la suite de cette affaire, les forces policières croient sans doute le groupe sévèrement atteint ; celui-ci se renouvelle, au contraire. « Mom » contribue énormément à ce second souffle. Il parraine son premier club-école à Lavaltrie, les Jokers Wild Card. L'expérience n'étant pas concluante — ses recrues manquent de discipline et attirent l'attention de la loi —, il dissout le groupe avant de fonder le nouveau club des Rockers de Montréal, chargé de s'approprier le marché de l'est, alors occupé par la coalition de l'Alliance. Enfin, il fonde un groupe d'élite, les Nomads, qui n'a pas de locaux assignés ni de réunions rituelles afin d'éviter sa détection. Capables de tuer de sang-froid, les Nomads font régner la terreur parmi leurs rivaux comme parmi les civils, à partir du moment où la « guerre des motards » a du vent dans les voiles. Disposant de taupes bien placées dans des fonctions légitimes, les Nomads accèdent aux données confidentielles de leurs ennemis, qu'ils n'hésitent pas à attaquer en plein jour. Des balles se perdent ; des innocents sont blessés ou tués. Le jeune Daniel Desrochers, par exemple, est mortellement blessé par les débris d'une voiture piégée qui explose en plein après-midi, sur la rue Adam.

Les Hells deviennent de plus en plus visibles, comme pour manifester leur puissance, qui semble alors au-dessus de la loi. Leur forteresse de Sorel fourmille ; à Trois-Rivières, les funérailles somptueuses d'un de leurs membres attire quelque 8 000 personnes ; un peu partout, des bombes posées par leurs ennemis sont désamorcées.

En 1995, la crédibilité de la SQ se trouve au plus bas dans l'opinion publique quand sept individus liés au clan Matticks, qui règne sur le trafic de la drogue au port de Montréal, sont relâchés parce qu'il est reconnu que des inspecteurs ont fabriqué des preuves — le dossier impliquait une trentaine de tonnes de haschich saisies dans des conteneurs du Vieux-Port. Cet échec risque de compromettre la collaboration entre les divers paliers des forces de l'ordre.

À la suite de la commission Poitras, l'escouade Carcajou est créée en octobre 1995. Il s'agit d'un groupe spécialisé dans la lutte contre les motards criminalisés et qui fédère divers corps de police, dont des enquêteurs de la Gendarmerie royale du Canada, de la Sûreté du Québec et du Service de police de la Communauté urbaine de Montréal. Avec la préparation du projet de loi antigang qui débute en mai 1997, il est évident que la police veut se donner les moyens de lutter contre le fléau des motards, qui a tenu la population sous l'emprise de la peur assez longtemps.

Leur règne n'est cependant pas terminé. Voyant que certains de ses complices arrêtés sont tentés par la délation, Boucher conçoit un plan diabolique qui assurera la loyauté de ses membres : il leur enjoint de tuer des gardiens de prison, des juges, des policiers, bref, des figures de la justice, puisque ces crimes assurent l'emprisonnement à vie. Un complice qui a tué un gardien est un complice qui ne parlera pas. Le meurtre de Diane Lavigne, le 26 juin 1997, et celui de Pierre Rondeau, le 8 septembre de la même année, sont des exemples typiques de sa manière frontale d'attaquer.

Le 3 septembre de l'an 2000, le journaliste Michel Auger échappe de justesse à un attentat commandité. Auger en est convaincu, le message vient de « Mom ». Les Italiens aussi. Ils organisent une rencontre entre Boucher et un de leurs émissaires pour passer ce message : il faut que la guerre cesse. Elle a trop duré et donne trop de munitions au gouvernement pour rendre la loi antigang particulièrement sévère. Boucher négocie alors une trêve avec les Rock Machine dans un local du Palais de justice — il souhaite aussi les assimiler à son gang. Des poignées de main sont échangées pour les photos des journaux, mais rien, en fait, n'est conclu.

En octobre 2000, comme la cour d'appel rejette les conclusions du procès de 1998, un nouveau procès est instruit contre Boucher, au terme duquel, le 5 mai 2002, il est finalement reconnu coupable de nombreux crimes, dont le meurtre des deux gardiens.

*

Le criminel qui, à la fin de sa carrière active, aimait poser en compagnie de célébrités notoires, purge une peine d'emprisonnement à perpétuité (sans possibilité de libération avant 2023) à l'Unité spéciale de détention de Sainte-Anne-des-Plaines, un pénitencier à sécurité maximale. Il passe la plupart de ses journées en cellule. Son club a continué de faire des petits, et les Rock Machine, ne donnant pas suite à son offre d'association, ont préféré devenir la première division canadienne du groupe américain des Banditos.

La réclusion et la longueur de sa peine ont départi Boucher de sa gloire et de son autorité d'antan, même si, de temps à autre, des détenus en quête de prestige tentent d'obtenir la tête de ce commandant déchu de l'infâme guerre des motards, qui a fait plus de 150 victimes en huit ans. On ignore toujours où il a placé sa fortune, évaluée à plusieurs millions de dollars.

QUAND LES PÈRES SE FONT LIONS

SHERBROOKE, 2002

Alors qu'un énorme appareil légal a été conçu pour punir les offenseurs, les victimes et leurs proches ont souvent la sensation d'être oubliés par ceux-là même qui jugent, condamnent et enferment en leur nom.

L'un de ces proches trouvera dans son malheur la vocation d'une vie : en effet, le sénateur Pierre-Hugues Boisvenu ne croyait pas un jour siéger dans une si haute position. Un drame incommensurable devait le transformer.

*

Julie Boisvenu et Hugo Bernier n'avaient que peu de choses en commun, à part habiter dans la périphérie de Sherbrooke. La jeune femme commençait à récolter les fruits de son ardeur au travail : superviseure appréciée de ses collègues, elle venait tout juste d'accéder au poste de gérante de la boutique Aldo du Carrefour de l'Estrie. Julie, que tout le monde connaissait pour son sourire et sa joie de vivre, n'avait pas hésité une seconde à fêter cette promotion en grand.

Le soir du 22 juin 2002, elle se fait coquette. Entourée de son cercle d'amis, elle rencontre un jeune homme de Montréal qui lui plaît immédiatement, Jean-François Brodeur. Julie ne s'embarrasse pas de fausse retenue en ce soir de fête, et prend le parti de terminer la célébration avec lui, entre les draps de l'Hôtel Ramada. Brodeur, soucieux de la sécurité de sa nouvelle amie, lui propose plusieurs fois de la reconduire chez elle, ce qu'elle refuse : sa propre voiture est stationnée non loin de là.

Hugo Bernier, lui, n'a rien de spécial à fêter ce soir-là. Cela ne l'a pas empêché de faire la tournée des bars de danseuses de la rue Wellington. Déjà connu des milieux judiciaires pour une tentative de viol et pour conduite avec facultés affaiblies, Bernier a laissé Véronica, sa copine — qui est enceinte —, seule dans leur appartement de Lennoxville.

On sait que Bernier éprouve des difficultés avec les femmes, et qu'il ne se sent capable d'obtenir des faveurs sexuelles que sous la contrainte. En arrêt de travail depuis le début du mois, il erre sans but, peut-être tourmenté par des envies charnelles.

Ce qui se passe ensuite demeure nébuleux. Selon ce que révélera l'autopsie et la façon dont le meurtrier dispose du corps, la version des faits de Bernier est éminemment suspecte, surtout qu'il fera tout en son pouvoir pour se décharger de la moindre responsabilité quant à la mort abominable de sa victime.

*

Supposément descendu de son véhicule pour se libérer des vapeurs de l'alcool, Hugo Bernier se dirige sur Wellington Nord, en direction de l'Hôtel Ramada. C'est là qu'il croise Julie. Aux dires de l'accusé, elle lui aurait offert de le reconduire jusqu'à sa voiture. Des prélèvements génétiques confirment qu'il embarque dans la Jeep de la jeune femme, probablement autour de 4 h du matin. La jeep serait ensuite entrée en collision avec une borne fontaine de la rue Wellington, ce que confirme un témoin, qui se trouve dans les environs. Mais son récit est confus, lui-même étant alors en état d'ébriété.

Avides de coincer Bernier, les autorités proposent au témoin en question une séance d'hypnose, dans le but de raviver son souvenir. Tout ce qu'ils obtiennent du procédé se résume dans cette conversation :

« C'est eux !

— Ah ? Et combien sont-ils ? Qui est le chauffeur ?

— Je ne sais pas. Il y a deux silhouettes. »

*

Encore aujourd'hui, on ne possède que peu d'informations sur ce qui s'est réellement passé ; ce que l'on en sait découle des marques trouvées sur la voiture de Julie, sur son corps et sur le témoignage embrumé de Bernier. En fracassant son véhicule, Julie a-t-elle tenté de déstabiliser Bernier, qui aurait commencé à l'agresser une fois à bord de la Jeep ? Tout ce qu'on sait, c'est qu'il a pris le contrôle de l'automobile, puis qu'il a conduit sur le chemin Rivard, une route rurale de Bromptonville.

Julie, terrorisée, lui promet de ne rien dire. Elle lui demande toutefois qu'il n'éjacule pas en elle, afin d'éviter une grossesse. Il obtempère, bien qu'il la viole deux fois. Il essuie ensuite son sperme avec un linge à vaisselle. Julie panique de plus en plus : de nombreuses lacérations à son visage laissent croire qu'elle a tenté de résister à Bernier.

Il finit par l'étrangler à l'aide du même linge qui a recueilli son sperme, selon un codétenu à qui il se confie. Puis, il décharge le corps de la morte dans un fossé, où elle tombe face contre terre. On la retrouve nue, portant seulement un soutien-gorge.

Il revient au centre-ville de Sherbrooke afin de récupérer son propre véhicule et de prendre la fuite, non sans avoir essayé de faire disparaître ses empreintes digitales du volant de la Jeep.

*

Ce drame aurait-il pu être empêché ? Deux équipes de patrouilleurs avaient intercepté Hugo Bernier à bord de sa Mustang blanche 1987, stationnée sur la rue du Dépôt : une fois à 3 h 15, l'autre à 3 h 55. Aux agents, il avait déclaré être Lucas Bernier, ne pas avoir ses papiers sur lui, et dormir dans son automobile en attendant de dégriser. Bernier voulait éviter les embarras qui auraient surgi lorsque les policiers auraient consulté sa lourde feuille de route et constaté que son importante consommation d'alcool était une violation de ses conditions de probation. À la faveur de la grande agitation qui règne dans le centre-ville de Sherbrooke, particulièrement achalandé après la tenue d'un match important de balle molle, le tour de passe-passe fonctionne.

Dès le lendemain, Bernier ne se souciera apparemment plus du crime qu'il a commis : il fête la Saint-Jean-Baptiste avec son père et son frère.

Pendant ce temps, la disparition de Julie Boisvenu est signalée par ses parents. Ce n'est que six jours plus tard que son corps est retrouvé.

*

Clermont Lamontagne déambule en bicyclette en ce beau samedi d'été. Arrivé là où Bernier s'est débarrassé de sa victime, il est incommodé par une odeur de charogne qui émane du fossé. Croyant être tombé sur un animal mort, soucieux d'alerter les services compétents, il prend sur lui de vérifier ce qui peut dégager une odeur si épouvantable.

C'est l'horreur : il s'agit du cadavre d'une femme.

Pierre-Hugues Boisvenu refusera d'identifier le corps de sa fille. Il ne veut pas garder d'elle le souvenir d'un corps mutilé.

*

Le 24 octobre 2004, le jury détermine qu'Hugo Bernier est coupable de séquestration, de viol et de meurtre au premier degré. Il écope d'une peine d'emprisonnement à perpétuité, sans possibilité de libération avant 25 ans. Il tenta de porter sa cause en appel en 2007 ; sans succès.

L'immense douleur de Pierre-Hugues Boisvenu, loin de l'abattre, a animé un feu sacré qui, depuis, l'amène à défendre les droits des victimes d'actes criminels. Assisté de Michel Bolduc et de Michel Surprenant, d'autres pères de victimes, il cofonde l'Association des familles des personnes assassinées ou disparues. Il y œuvrera à titre de directeur, jusqu'à ce qu'on le nomme sénateur en 2010.

UN PSYCHOPATHE AU CHSLD

TROIS-RIVIÈRES, 2002

Si on peut s'inquiéter des modes de gestion ou du manque de ressources des centres hospitaliers de soins de longue durée, force est d'admettre que le travail des infirmières et des bénévoles y est difficile, et que ceux-ci mettent beaucoup d'efforts à soigner leurs patients. Dans ces centres où les patients sont parmi les plus vulnérables de la société, on n'imaginerait pas qu'on puisse intégrer à l'équipe des bénévoles un assassin, multirécidiviste de l'évasion, et coupable d'agressions d'une violence inouïe.

En 2002, on a pourtant accueilli Conrad Brossard comme bénévole à la résidence Cooke du CHSLD de Trois-Rivières. Quelque part entre les évaluations de libération conditionnelle et la réinsertion sociale des détenus, des informations se sont perdues ou ont été ignorées. La pauvre Cécile Clément, une dame de 52 ans qui visitait sa mère à la résidence Cooke, a payé de sa vie ces négligences administratives.

*

Peut-être avait-il déjà commis quelques crimes auparavant? Conrad Brossard amorce sa vie de prisonnier dès qu'il atteint la majorité. En 1966, à 18 ans, il est condamné à sept ans de pénitencier pour vol à main armée et tentative de viol. On lui accorde une libération conditionnelle après quatre ans de détention, et il est transféré dans une maison de transition afin de préparer son retour à la liberté. Mais Brossard est impatient. Il s'évade de la nouvelle institution le jour même de son admission, vole une voiture et fait monter un auto-stoppeur, André Lahaise, qu'il amène dans un secteur reculé, à la campagne, pour le poignarder sauvagement. Lahaise survit à une douzaine de coups de canif et tente de s'enfuir, mais Brossard le pourchasse et l'achève d'une dizaine de coups supplémentaires, au fond d'un caniveau.

Évadé le 22 septembre, Brossard n'est retrouvé que le 4 novembre suivant. On le condamné à 20 ans de prison sans possibilité de libération conditionnelle.

Mais la chance de s'enfuir lui sourit à nouveau. En juillet 1980, son pénitencier organise une sortie sur l'île Notre-Dame, aux Floralies de Montréal. Les noms des chanceux qui iront à l'activité sont tirés au hasard. Celui de Conrad Brossard ne devrait même pas faire partie du lot, mais c'est le cas, et il est pigé...

Brossard n'est pas du genre à s'émouvoir de la beauté et de la fragilité des fleurs. Il s'évade de l'île Notre-Dame et gagne Montréal. Armé d'un fusil et d'un couteau, il erre au parc Lafontaine et, le soir venu, remarque le jeune Marc Lapierre qui attend dans sa voiture, en face de l'hôpital Notre-Dame. Brossard monte dans le véhicule et, à la pointe de son fusil, force Lapierre à rouler jusqu'à Sorel. Dans un champ, il lui tire une balle au foie et lui assène 13 coups de couteau dans le dos. Il décampe, croyant sa victime morte. Cependant, Lapierre survit et se traîne jusqu'à une maison voisine ; Brossard est arrêté le soir même au centre-ville de Montréal. Il écope de 23 années de détention sans possibilité de libération conditionnelle.

Lapierre intente alors une poursuite contre les services correctionnels canadiens, leur imputant la faute d'avoir laissé sortir un homme si dangereux, mais il abandonnera sa cause, les procédures s'étirant sans fin.

En 1987, une de ses demandes de semi-liberté est acceptée : Brossard bénéficie d'un droit de sortie. Il en profite pour poignarder Carmen Perron, la conjointe d'un codétenu dont il connaît l'adresse ; celle-ci survivra à ses blessures. Brossard est de nouveau condamné à perpétuité sans possibilité de libération conditionnelle avant 25 ans. L'évaluation qui est faite de lui à ce moment mentionne qu'il est un homme violent et très dangereux. Oui, il était temps que l'on s'en rende compte!

De 1992 à 2001, toutes ses demandes d'allègement de conditions de détention ou de libération conditionnelle anticipée sont rejetées. Cependant, Brossard a bien vu que des brèches s'ouvrent à l'occasion. Durant les 15 premières années de sa dernière peine, il se monte un dossier favorable, et suit de multiples formations: cuisine, mécanique, musique. Il obtient aussi son permis de conduire et s'implique dans la pastorale. En 2002, il fait une nouvelle demande de sortie, et une dernière réévaluation, qui évalue son risque de récidive entre faible et modéré, lui permet d'accéder à un programme de réinsertion sociale. Il est muté à la Maison de transition Radisson, à Trois-Rivières, et se fait engager comme bénévole à la résidence Cooke pour personnes âgées.

Son dossier d'admission est incomplet. Trois lignes au bas d'une page suggèrent qu'il a commis des crimes. Mais rien n'indique qu'il est meurtrier, qu'il a commis deux tentatives de meurtre et qu'il est un as de l'évasion...

En mars 2002, Conrad Brossard se joint donc à l'équipe de bénévoles de la résidence. Sur place, il fait un tabac. Serviable, il prépare les salles pour les activités de groupe, range les chaises et les tables, participe à la décoration des locaux, ramasse les détritus sur le terrain de la résidence, passe le balai et la vadrouille quand il le faut. Rien, dans son comportement, ne laisse présager à ses collègues qu'il est un danger pour qui que ce soit. De plus, il respecte scrupuleusement ses conditions de sortie: il ne peut quitter la Maison Radisson que pour se rendre à la résidence Cooke, et il doit impérativement y rentrer sitôt sa journée terminée. Un retard de 15 minutes est suffisant pour qu'on considère une évasion potentielle...

Gentil, poli, avenant, toujours à sa place, Brossard va jusqu'à séduire bon nombre des dames qu'il côtoie. C'est le cas de Cécile Clément, qui rend régulièrement visite à sa mère, pensionnaire à la résidence. Femme divorcée, vivant seule et mère d'une fille maintenant adulte, Cécile Clément est une dame simple, bien mise, sans histoire. De semaine en semaine, Brossard et elle font connaissance, discutent de plus en plus souvent et longuement. Le hasard fait qu'ils doivent prendre le même autobus en quittant la résidence. Ils peuvent ainsi fraterniser sans que Brossard ne brise l'une de ses conditions, soit de ne fréquenter personne à l'extérieur du travail et de la Maison Radisson... Madame Clément fait des confidences à une amie : cet homme lui plaît, il est si gentil. Pour sa part, Brossard affirme à un collègue bénévole qu'il trouve que Cécile est une très belle femme.

En avril, il passe aux actes. Brossard a bien préparé son coup. Durant l'après-midi, il remet rapidement en ordre la salle de bingo, puis il se rend dans la salle de rangement de la résidence, où se trouvent divers équipements saisonniers, dont des décorations et des outils de bricolage. Il se saisit d'une grosse paire de ciseaux à cuir. Dans la salle de lavage, il coupe la ficelle d'un sac de vêtements. Puis il va au vestiaire et fait les poches de la cuisinière : s'y trouvent des clés de maison, une clé de voiture et un portefeuille. Avec la voiture volée, il rattrape Cécile et lui propose de la raccompagner. Confiante, elle accepte. Chez elle, ils prennent un café et fument quelques cigarettes. C'est le moment. Alors qu'elle a le dos tourné, Brossard lui saute dessus et la bâillonne. Il la mène à sa chambre, la projette dans le lit, sur le ventre, et lui attache les mains dans le dos avec la ficelle. Puis il la dévêtit et l'agresse sexuellement. Avec les gros ciseaux, il la frappe d'un violent coup à la nuque.

Des voisins qui ont remarqué une voiture inconnue et mal stationnée chez Cécile voient un homme quitter précipitamment l'immeuble, faire crisser ses pneus et omettre de faire ses stops.

Cécile Clément, inconsciente, meurt au bout de son sang. Le soir même, sa sœur et des amies, inquiètes de ne pas la voir se présenter à un souper, feront la macabre découverte.

Conrad Brossard va se cacher à Saint-Anicet, en Montérégie, chez des connaissances qu'il a rencontrées en prison. Un avis de recherche est émis par les autorités et il est dénoncé.

*

Cette histoire répugnante aura de grandes répercussions. Comment se fait-il qu'un homme aussi dangereux ait pu s'évader si souvent et avoir droit à des conditions de sortie aussi favorables ? Il s'avère que Brossard avait été l'objet de nombreuses évaluations psychologiques, mais qu'on ne lui avait pas fait passer le test de Hare, qui permet de déterminer le degré de psychopathie des détenus.

S'il avait passé ce test, et si la poursuite intentée par Marc Lapierre avait été menée à terme, Cécile Clément serait-elle toujours en vie ?

La section québécoise des Services correctionnels du Canada a été blâmée pour son laxisme dans cette affaire qui a profondément choqué l'opinion publique. Une réévaluation des critères de libération conditionnelle a été imposée. Cela ne ramènera pas les morts à la vie, bien sûr, mais souhaitons que cela serve à empêcher de futures tragédies.

LA MARCHANDE DE CHAIR

SAGUENAY, 2005

La région du Saguenay est bien connue pour ses paysages grandioses, aux reliefs brusques et soudains. Ce qu'on connaît moins de ce coin de paradis perdu, ce sont ses milieux interlopes, loin d'être paradisiaques, ceux-là... S'y déroulent des drames d'une noirceur qui n'a rien à envier à ceux des grandes villes : la vie humaine y devient une valeur marchande.

Les tristes événements que nous allons relater se déroulent durant l'année 2005. Madeleine Chaput est la tenancière d'une maison de passe située au 626 de la rue Audet, à Saguenay (Chicoutimi). D'une trempe de caractère certaine, cette femme n'est pas appréciée de tous. Elle dirige seule son agence d'escortes depuis le 1er juillet 2000, sans être affiliée à aucune organisation criminelle. Parallèlement à ce commerce très lucratif, elle s'adonne également au trafic de la cocaïne sur les lieux de l'agence, à un tarif de 100 $ le gramme. La patronne fait affaire avec un fournisseur exclusif et ne permet pas que l'on recoure à d'autres trafiquants.

La formule est à la fois ingénieuse et sordide : Madeleine Chaput réussit à exploiter très lucrativement la dépendance toxique de ses « filles », tout en les maintenant dans un état d'assujettissement psychologique, monétaire et physique. Elle profite intégralement du cercle vicieux engendré par la drogue et la prostitution : abuser d'une substance illicite pour endurer son métier, développer une dépendance, puis se prostituer pour maintenir son rythme de consommation.

L'agence de la Madeleine Chaput convient tout particulièrement à un client aux appétits singuliers, qu'on désigne sous le nom de « l'Avocat ». Lors de leur première rencontre, qui remonte à la fin de l'année 2002, la tenancière le prend d'abord pour un policier, mais ses appétits charnels, et la fréquence à laquelle il les satisfait, ont tôt fait de la soulager de ses doutes.

L'Avocat est directement impliqué dans le drame qui doit survenir durant le mois d'août 2005. Un jugement en cour d'appel l'ayant acquitté de toute responsabilité, il faut taire son identité véritable.

Ce client paradoxal défend la loi le jour et l'enfreint frénétiquement le soir. Pour Madeleine Chaput, il est une véritable mine d'or. Entre deux relations houleuses, il vient chercher l'intimité dans les bras des filles, et l'oubli dans l'euphorie des excitants. On convient dès le départ qu'il doit payer sa consommation et celle de sa compagne. De plus, la proxénète étant elle-même une grande consommatrice de cocaïne, elle demande à l'Avocat de lui payer un demi-gramme pour chaque gramme qu'il consomme lui-même. Quel trésor que ce client !

Celui qui passe régulièrement à l'agence peut rester jusqu'à dix heures avec la même fille, et acheter des quantités astronomiques de drogue. Si on calcule le tarif horaire de l'escorte et le total de la drogue consommée — par lui, la prostituée et la patronne —, on se rend facilement compte du profit que cela représente. Voilà donc pourquoi Madeleine Chaput tient tant à préserver cette relation d'affaire, et ce, même au prix d'une vie...

De nombreux incidents présagent la tragédie qui se déroule le soir du 18 août 2005. Des gens au cœur moins dur auraient pris garde aux avertissements du destin... Mais la tenancière et l'Avocat passent outre : l'amour de l'argent et le cynisme de la première lui ont fait perdre sa sensibilité ; quant au second, il est perdu dans les dédales fantasmatiques d'un univers de drogue et de sexe. Il ne voit pas le danger venir.

Madeleine Chaput admettra avoir trouvé à au moins deux reprises des filles en convulsions à la suite d'une surconsommation accidentelle de cocaïne. Habituée à ce spectacle, elle leur administre simplement ce qu'elle appelle une « anax », soit un anticonvulsif commercialisé sous le nom de Xanax. Le client, lui, s'empresse toujours de quitter les lieux : un tel spectacle lui donne mal au cœur. Pourtant, et c'est là un détail particulièrement sordide, c'est à sa demande que les filles consomment autant. En effet, l'Avocat préfère la compagnie des filles intoxiquées. Il s'agit même d'un fantasme, si l'on en croit les nombreux témoignages des escortes interrogées lors de sa première comparution en justice. Ainsi, il n'est pas rare que les filles ressortent dans un état pitoyable d'une séance avec lui : elles ont le teint translucide, sont à peine capables de marcher. À l'une qui lui dit ne pas pouvoir en prendre plus, il répond : « Mouche-toi. » À une autre qui refuse une ligne supplémentaire : « Encore ! *Envoye* ! ». De cette dernière, il exige qu'elle consomme « plus rapidement » : elle fera une surdose. Une troisième refuse de revoir l'Avocat, se disant « trop vieille » pour ce genre de débauche. Une quatrième perd sa clientèle quand elle lui demande de contrôler sa propre consommation : c'est lui qui commande la drogue ; c'est lui qui régit la consommation. De la chambre, il crie : « Mado ! Mets une autre bûche dans le foyer. » La tenancière apporte alors des assiettes sur lesquelles les doses de poudre sont déjà alignées.

Ces orgies sont si intenses qu'elles poussent une prostituée à sortir du milieu. Douze heures de fête, de sexe et de cocaïne l'ont mise dans un tel état de surdose qu'elle a cru frôler la mort. En tout, au moins une dizaine de filles livreront au tribunal le récit de ces séances dangereuses.

Avec de tels signes avant-coureurs, qui aurait continué à agir de la sorte ? Quel genre d'individu persiste dans de tels comportements ? Le genre d'individu qui peut en profiter : une marchande de chair. Assiette après assiette, la proxénète apporte les lignes de cocaïne, que cela plaise ou non à la fille du moment. Cette patronne se soucie bien peu des « accidents » éventuels dont pourraient souffrir ses employées, soumises à ce client qui dépasse les limites de la prudence. L'argent l'intéresse plus que leur sort. Elle rassure donc l'Avocat lorsque celui-ci panique devant le spectacle d'une femme aux yeux révulsés, aux membres raides, dont l'écume sort de la bouche : « Inquiète-toi pas, elle fait souvent des crises comme ça. Je m'en occupe. »

« Une personne non humaine qui ne considère ses filles que du point de vue financier », « une véritable chienne humaine » : voilà ce que diront certaines des escortes devant le juge, en se souvenant de leur ancienne patronne.

Le 18 août 2005 à 18 h 30, l'Avocat se présente au rendez-vous qu'il a pris le jour même à l'agence de la rue Audet. À 18 h 45, il est installé dans une chambre avec Nadia Caron, 21 ans. Une première assiette est livrée. À 19 h 45, il en commande une seconde. Si l'on croit le témoignage de la tenancière, la jeune femme semblait normale après la livraison de ce que l'accusée estime être trois grammes de cocaïne, une quantité considérable pour une si courte période.

Un cri perçant se fait bientôt entendre. Il est doublé de celui de l'Avocat. Son effarement est perceptible : « Mado, viens ici, c'est urgent ! » Quand l'accusée entre dans la chambre, Nadia Caron a les poings contractés et les yeux révulsés. Elle se tord, comme si elle était en proie à une crise d'épilepsie.

Désespéré, l'avocat dit alors : « Mado, j'ai jamais vu ça, elle a consommé toute l'assiette ! Je m'en vais, je suis tanné. » Il est alors 21 h 45, 21 h 50 tout au plus, et Nadia Caron se convulse de manière horrible — elle vit ses derniers moments. L'Avocat se rhabille et décampe, alors que Madeleine Chaput s'occupe mollement de ce qu'elle croit être un cas de routine. Elle hésite à appeler l'ambulance ; la police pourrait s'en mêler, ce qui résulterait en la fermeture de l'agence et en de possibles ennuis pour l'Avocat. Aidée de Tanya Dufour, une autre escorte, elle tente de ranimer Nadia, en proie aux effets ravageurs de la surdose : elles la tournent sur le ventre et l'aspergent d'eau glacée.

Tanya Dufour se rend compte la première de la gravité de la situation. Selon le témoignage accablant qu'elle livrera à la cour, elle réclame par trois fois qu'on appelle les services d'urgence. Elle s'exclame : « C'est de la négligence criminelle, ça ! » ; on lui apporte enfin le téléphone.

Les ambulanciers se présentent au 626 de la rue Audet à 22 h 27. Mais Nadia Caron ne reprendra jamais conscience. Son décès est constaté au Complexe hospitalier de la Sagamie. L'autopsie révèle une concentration létale de cocaïne dans son sang.

L'inhumanité de la patronne se révèle ici dans toute sa froideur. Plus inquiète de la perte de sa vache à lait que de la mort d'une de ses filles, elle passe la plus grande partie de la nuit à faire le ménage, tentant de dissimuler les circonstances du décès. Elle demande également à ses employées de taire la présence et le nom de l'Avocat. Après tout, il s'agit d'un accident... Après tout, c'est un client respectable, qui paie bien...

*

En cour, Madeleine Chaput avouera avoir tenté de soutirer au moins 20 000 $ à l'Avocat. Elle lui impute au moins une partie de ses pertes, puisqu'à la suite de la mort de Nadia, elle est obligée de fermer son bordel. Elle confie à une amie qu'elle « le tient par les couilles ». Paniqué par le chantage de la proxénète qui menace de changer sa version des faits et de le dénoncer à ses collègues, l'Avocat se laisse intimider pendant plus de six mois avant de mettre fin aux extorsions d'argent. De toute façon, le procès est maintenant inévitable. Madeleine Chaput n'a plus d'arguments pour le faire chanter.

*

La victime était une belle jeune femme de 21 ans aux longs cheveux noirs. Mère de deux enfants en bas âge, Nadia Caron ne s'adonnait à la prostitution que depuis peu. C'était un métier dont elle avait honte. Elle l'exerçait sous la pression de son conjoint violent, afin de subvenir à sa consommation de drogue et d'alcool.

Madeleine Chaput plaide coupable aux accusations de négligence criminelle causant la mort qui sont portées contre elle. Elle purgera une peine de trois ans de prison, allégée pour circonstances atténuantes, notamment parce qu'elle a collaboré avec les autorités. La mère de la victime, Francine Lebel, ne réussira jamais à lui pardonner : « Jamais je n'accepterai ses excuses. Elle aurait pu sauver ma fille et elle ne l'a pas fait. »

Une mince lueur d'espoir suivra cette histoire tragique : la mort de Nadia Caron sert de catalyseur à la création du Collectif du 18 août, un regroupement féministe luttant contre la prostitution et la criminalisation des prostituées.

UN GÉANT PAS SI GENTIL

HEMMINGFORD, 2005

Debout sur la troisième corde. En équilibre. Animant la foule d'énergiques mouvements de bras, le lutteur Kurt Lauderdale, alias le « Career Killer », ressent une puissance qu'il n'éprouve jamais ailleurs. Son adversaire est sonné : il fait l'étoile, couché sur le dos au milieu du tapis bleu. Quelle figure osera-t-il en se projetant sur lui ? Un saut périlleux ? Une descente du coude ou du genou? Son adversaire et lui ont répété la scène la veille dans le centre communautaire désert. Mieux vaut s'en tenir à la chorégraphie. Va donc pour le saut périlleux. La foule d'admirateurs — et surtout, d'admiratrices — l'acclame. Les trois tapes de l'arbitre retentissent sur le tapis. Il a gagné ; une autre carrière est terminée.

Est-ce le même sentiment de puissance qui obnubile Kurt Lauder — c'est là son vrai nom —, au moment où il saisit une barre d'haltérophilie pour battre sauvagement sa victime, une jeune fille de 16 ans qu'il a invitée dans le sous-sol de ses parents ? Le seul crime de la petite Shanna Poissant aura été de refuser ses avances... Humilié et aveuglé par la colère, Kurt Lauder a-t-il entendu l'écho d'une foule d'admirateurs réclamant réparation ? Il le dira lui-même à un ami à qui il emprunte une pelle et un véhicule tout terrain : ce jour-là, il a dérapé. Et cette fois, il n'a pas seulement mis fin à une carrière de lutteur...

*

Le drame se déroule dans le village de Hemmingford, à un jet de pierre de la frontière américaine. Dans la petite communauté, tout le monde se connaît; les informations voyagent vite, les familles et les amitiés sont tissées serrées. Kurt Lauder, 21 ans, est un jeune homme taciturne. À l'adolescence, son physique lui cause des problèmes de socialisation. Mesurant près de deux mètres et étant de très forte carrure, il souffre de railleries. Cependant, il est discret et ne témoigne pas ouvertement de ses blessures.

De caractère doux, peu volubile, Kurt est surnommé « Gentle Giant » par ses amis. Très proche de sa mère, il serait surprotégé, selon les psychologues qui l'évalueront après son arrestation. Afin d'encourager ce fils unique auquel elle voue une admiration sans borne, la mère de Kurt lui aménage une salle d'entraînement au sous-sol, dans la pièce adjacente à sa chambre.

En devenant lutteur dans la ligue québécoise du International Wrestling Syndicate, le « Gentil Géant » trouve une manière de s'émanciper. En effet, pour le milieu viril de la lutte, ses caractéristiques physiques étranges constituent des atouts ! Kurt, plus théâtral sur le ring que dans les rues de son village, acquiert une reconnaissance dont il n'aurait jamais osé rêver. Dans la foulée, il déménage à Montréal et trouve un travail où il peut à nouveau mettre sa stature à profit : gardien de sécurité dans un immeuble à logement. La fin de semaine et lors des combats de lutte, il dort chez ses parents, à Hemmingford, où il a toujours sa chambre et sa salle d'entraînement.

*

Shanna Poissant est une adolescente sans histoire. Elle est la sœur aînée de deux petits frères; elle sort avec ses amis sans jamais omettre de prévenir sa mère de l'heure de son retour; elle aime la musique populaire. Un de ses cousins est lutteur, et c'est en assistant à ses galas qu'elle fait la connaissance de Kurt Lauder. Ils se croisent à l'occasion dans des fêtes d'amis, au restaurant, ou par hasard dans les rues d'Hemmingford. Rien, dans la banalité de cette fréquentation amicale, ne laisse présager l'horrible drame qui se jouera entre eux, un an environ après leur première rencontre. Rien, vraiment ? Lauder, un homme émotionnellement immature, qui fréquente des adolescents beaucoup plus jeunes que lui, a pourtant dit à un ami, une semaine avant le drame, qu'il « avait des plans pour elle »... Mais qui aurait pu se douter de la nature de ces plans ?

Au beau milieu des vacances estivales, Kurt ment à Shanna : il lui dit que son lutteur favori est hébergé chez ses parents, qu'elle pourra le rencontrer. Vers 16 h, le lundi 11 juillet 2005, des voisins aperçoivent Shanna monter dans le véhicule utilitaire sport de Lauder. Ils seront les derniers à la voir vivante.

Lauder l'invite à descendre au sous-sol : il désire lui présenter ce lutteur qu'elle apprécie tant, lui faire visionner des vidéos de lutte, et discuter de ses exploits athlétiques. En réalité, il a d'autres plans. Il tente de profiter de la jeune fille, qui résiste péniblement. Après tout, il la dépasse d'un pied et pèse au moins 200 livres de plus qu'elle... Lauder entre dans un état de rage. Il a toujours été jaloux de ses amis qui ont plus de facilité avec les filles. Shanna elle-même n'a-t-elle pas ri de lui à quelques reprises ?

Peut-être hallucine-t-il alors les cordages d'un ring, le long des murs de la pièce, s'imaginant lui-même vêtu de son costume de lutteur... Peut-être sent-il la chaleur des projecteurs sur son visage. Mais il n'est peut-être qu'aveuglé par le voile noir de la colère. Il saisit sa barre d'haltérophilie, frappe sauvagement la pauvre Shanna de cinq coups à la tête. Le plus costaud des hommes n'y aurait pas survécu.

Le cadavre défiguré à ses pieds, une barre de métal ensanglantée dans les mains, Lauder constate qu'il a commis l'irréparable. L'idée de faire face à la réalité ne lui traverse pas l'esprit. Dans l'improvisation la plus complète, il entreprend de se débarrasser du corps. Un vieux sac de hockey traîne quelque part dans le sous-sol. Il le vide, y met le corps de sa victime, et contacte un ami pour lui emprunter un véhicule tout terrain et une pelle, qu'il va chercher sans prendre le temps d'enlever ses vêtements tachés de sang.

Le VTT, la pelle et le sac de hockey dans le coffre arrière de son utilitaire sport, Lauder part à la recherche d'un endroit propice où enterrer sa victime. Hemmingford est un joli coin de campagne près des Adirondacks. Lauder s'engage en VTT sur la piste cyclable de la Route Verte, qui traverse des champs et des sous-bois. Là où la piste s'enfonce dans un épais boisé, il bifurque. Le moteur éteint, on n'entend que des insectes. C'est la nuit. Lauder éclaire les lieux des phares de son véhicule et commence à creuser. Lorsque la tombe lui semble suffisamment profonde, il détache le sac de hockey, le soulève avec une incroyable facilité, et le lâche près du monticule de terre. Avant de pousser sa victime dans le trou, un accès de colère le prend de nouveau : il frappe le sac à coups de pelle. Puis il remplit la tombe et tente de la camoufler avec des branchages.

Quand il rentre chez lui, sa mère l'attend au sous-sol, devant la mare de sang que le tapis n'a pu absorber en entier. Il n'a d'autre choix que de lui confesser son crime. Que faire quand le fruit de vos entrailles a assassiné l'enfant d'une autre mère, une voisine par surcroît ? Le dilemme n'est pas facile. Mais Suzanne Grosser-Lauder a toujours protégé son fils ; pas question d'arrêter aujourd'hui, qu'importent les conséquences ! Ils entreprennent de nettoyer la scène du crime ensemble : ils frottent les tapis, ils nettoient l'équipement d'haltérophilie et la pelle, ils lavent les vêtements.

La vie reprend son cours. Deux jours plus tard, Kurt s'amuse aux glissades d'eau. La semaine suivante, il participe à un gala de lutte.

Chez les Poissant, au contraire, la vie s'est arrêtée. Ils sont rongés par l'inquiétude. L'hypothèse de la fugue est rapidement écartée. Les enquêteurs de la Sureté du Québec cherchent des indices pour découvrir ce qui a pu arriver à Shanna.

Dans les petites communautés, les informations circulent vite. Trop vite pour certains… La ligne téléphonique des Lauder est rapidement placée sous écoute. La mère, filée par les policiers, est surprise en train de jeter des rouleaux de tapis dans une benne à ordures à Montréal, en pleine nuit. Les rayons infrarouges révèlent que ces tapis portent les marques du carnage, malgré les efforts du meurtrier et de sa complice. Leur maison est fouillée ; la pelle et la barre de métal sont saisies.

Kurt Lauder est arrêté le jour de son anniversaire. Il vient d'avoir 22 ans. Après divers mensonges saugrenus, il confesse son crime et indique le lieu où il a enterré le corps. Il purge depuis 2006 une peine d'emprisonnement à vie. Sa mère a été accusée de complicité après les faits, et de destruction de pièces à conviction ; elle a également été condamnée à la prison.

Les Poissant, quant à eux, vivront toujours le deuil terrible de leur fille, assassinée de manière gratuite et incompréhensible — l'œuvre d'un homme dont on se rappellera avec amertume qu'il était surnommé le « Gentil Géant ».

MISÉRABLE ET ASSASSIN

RIVIÈRE-OUELLE, 2008

Tous les hommes ne sont pas nés égaux. Certains doivent apprendre à vivre avec de lourds handicaps congénitaux ; d'autres ont des prédispositions à la maladie mentale et finissent par y succomber ; d'autres, encore, ont la malchance de naître dans un milieu où règne la pauvreté, l'abus familial ou la violence. Ces êtres peu choyés éprouvent plus de difficulté à faire leur chemin, sans pour autant nécessiter des soins constants ni être incapables de fonctionner de manière autonome. Un certain nombre s'en tirent bien, surtout grâce à leur entourage. Les autres, véritables démunis de l'existence, passent d'une épreuve à l'autre en s'enfonçant chaque fois un peu plus.

Francis Proulx est l'un de ces êtres démunis : sans être tout à fait incapable de fonctionner comme un adulte normal, il n'a pas les compétences de base pour s'accomplir et s'épanouir en société. Fils d'un père absent, d'une mère schizophrène et membre des Témoins de Jéhovah, il est en partie élevé par sa grand-mère.

Ses anciennes tutrices décrivent Francis Proulx comme un enfant doux, facile à vivre bien que timide, chagrin, et ressentant une forte insécurité. Il est le souffre-douleur de l'école primaire ainsi que de son oncle, qui lui hurle des noms par la tête. À l'adolescence, il s'amourache en vain d'une jeune fille de Saint-Gabriel prénommée Nancy — était-ce là un sinistre présage ? Son obsession amoureuse ne le laisse tranquille que lorsqu'il commence à prendre des médicaments.

Cette jeunesse pénible contribue à fragiliser le jeune homme maigre, noiraud, qui a un nez en bec d'aigle et une voix nasillarde. Accablé par toutes sortes d'inconforts médicaux et de troubles mentaux, il prend des antidépresseurs depuis 2003 pour soulager son anxiété. Résidant depuis toujours à Rivière-Ouelle, dans la région de Kamouraska, un village où tout le monde se connaît au moins de vue, il habite seul, dans un petit appartement de l'ancien presbytère. Ses possessions sont entretenues avec un soin excessif : ses collections de jetons de casinos, de billets de loterie et de bijoux sont toutes méticuleusement ordonnées.

Ses emplois sont sporadiques et peu nombreux. Surnommé « l'oiseau de nuit », il commet de nombreux larcins dans la petite ville de 1200 âmes, quelques-uns saugrenus, d'autres plus sérieux. Francis Proulx pouvait aussi bien voler dix oignons pour ensuite s'en débarrasser que voler 70 000 $ et planquer la somme dans un coffre. En fait, braquer des dépanneurs ne lui cause pas plus de remords que de dévaliser sa propre parenté. Il vole 5000 $ à sa propre grand-mère et 100 000 $ à une vieille tante.

Homme de peu d'envergure, il ressent, de son propre aveu, beaucoup d'amertume et de colère envers ceux qui font partie des gens riches, beaux, actifs et à qui tout réussit. Solitaire et vulnérable, il perçoit leurs réussites comme autant d'affronts personnels. Comment des gens aussi brillants pourraient-ils ne pas le mépriser ? Et comment ne pas haïr ceux qui osent le considérer de la sorte ? Avec le temps, sa rancune ne fait que grandir. Tous ces gens qui le narguent sont des cibles potentielles...

*

Nancy Michaud est une belle femme de 37 ans. Blonde, énergique, souriante, elle a une carrière brillante en tant qu'attachée de presse du ministre des Ressources naturelles qui, à cette époque, est Claude Béchard. Elle habite dans une jolie maison de Rivière-Ouelle avec ses deux enfants et son conjoint, Daniel Casgrain. Rien ne la prédispose à une fin sordide : femme accomplie et aimée, son seul tort fut de représenter le bonheur auquel Francis Proulx ne pourra jamais prétendre.

Le 15 mai 2008 vers 22 h 30, Proulx décide d'aller se promener en direction du cimetière. Il est équipé de ce qu'il appelle son « kit de James Bond » : une cagoule et des vêtements noirs, deux paires de menottes, un revolver de calibre .22, des lampes de poche, des outils. En traversant les terrains attenants au cimetière, il se sent irrésistiblement attiré par la maison de la famille Casgrain. Après en avoir fait le tour, il réalise qu'une des portes, celle du sous-sol, n'est pas verrouillée.

Tranquillement, le cambrioleur gravit les marches menant au rez-de-chaussée puis au premier. Il prend un moment pour se soulager aux toilettes. Cette désinvolture laisse songeur. À quel point a-t-il planifié ses ignobles gestes ? En comprend-il même l'ampleur ? La notion de responsabilité criminelle sera le principal point soulevé par la défense, mais elle ne convaincra personne.

Nancy Michaud attend, crispée dans son lit. Elle a entendu entrer l'intrus, qui s'approche de la chambre d'un pas lourd. Ce n'est pas Daniel : d'abord, le quart nocturne de l'opérateur-chargeur n'est pas encore fini. Ensuite, ces bruits ne correspondent pas aux habitudes de son homme.

La silhouette noire émerge dans le cadre de porte. Nue, recroquevillée sous les couvertures, elle lui lance : « Qui êtes-vous ? Qu'est-ce que vous voulez ? »

Aucune réponse audible. L'inconnu, cagoulé et ganté, tient un fusil. De sa main libre, il frotte son pouce contre son index et son majeur, communiquant silencieusement le but de son infraction nocturne. Il veut de l'argent.

Nancy Michaud est une femme de caractère. Pratique, même en proie à une aussi grande frayeur, elle a la présence d'esprit de demander si l'arme est authentique. Réponse : un coup de feu au plafond, deux dans le matelas. Elle ne peut plus douter du sérieux de la situation.

Une seule chose compte alors pour la mère de famille : sauver ses enfants, qui dorment toujours. Habituée aux négociations, elle exige donc une seule condition : elle donnera ce qu'il veut à l'inconnu, tant qu'il ne touche pas à ses fils.

Toujours silencieux, Francis Proulx la menotte aux chevilles et aux mains, puis l'attache aux barreaux du lit. Nancy Michaud, même menottée, lui assène trois violents coups de pied à l'entrejambe.

Il réussit à obtenir ses informations bancaires, qu'elle lui écrit sur un bout de papier. Elle lui indique également où trouver ses cartes. Proulx redescend au rez-de-chaussée.

Il remonte ensuite les escaliers, l'amène au sous-sol. Cela ne se fait pas sans heurts, car elle se défend. Les traces de sang dans l'escalier et les coups sur son corps en témoignent. Nancy Michaud est forcée de s'agenouiller, puis attachée à une étagère. Elle est battue et reçoit des coups violents ; les menottes lui infligent des lésions sérieuses aux chevilles et aux poignets ; elle est traînée au sol. Néanmoins, elle exige de plus en plus impérieusement d'être libérée. Le voleur a eu ce qu'il voulait. Pourquoi ne part-il pas ?

Depuis cinq ou dix minutes, Proulx va et vient entre le sous-sol et l'extérieur... Les menottes. Comment va-t-il récupérer ses menottes ? Elles lui appartiennent ; il veut les ravoir. Mais s'il libère la femme, parviendra-t-il à s'enfuir à temps ?

Que se passe-t-il dans la tête du cambrioleur pour qu'il devienne un meurtrier ? En cour, celui-ci prétendra que seul un grand vide l'habitait, que ses antidépresseurs lui « gelait les émotions ». Il dira que le coup de feu tiré à bout portant dans la tête de Nancy Michaud est parti tout seul.

Francis Proulx abat sa victime froidement, comme s'il s'agissait d'une exécution.

Dans les moments qui suivent, il tente d'effacer les traces de son crime. Le meurtrier nettoie soigneusement le plancher, éponge le sang avec plusieurs serviettes — elles seront retrouvées chez lui par les policiers.

Une idée germe alors en lui. Quel meilleur endroit qu'un cimetière pour disposer d'un cadavre encombrant ? Il sera impossible de relier celui-ci à son meurtrier...

Pour contenir le sang et la cervelle, peut-être pour ne pas avoir à contempler l'horreur de son geste, il met un sac de sport sur la tête de la morte, puis la traîne à pied jusqu'au cimetière.

Là-bas, il contemple longtemps le corps nu de la victime, dont la tête reste cachée. Des pulsions s'éveillent en lui. Des pulsions nécrophiles, qu'il ne pense pas à combattre. Proulx n'a jamais eu de relations sexuelles.

Laissant la dépouille au cimetière, il retourne chez lui. Il se change et récupère sa voiture, non sans passer par la caisse populaire de Rivière-Ouelle pour y faire deux retraits de 500 $ avec les cartes volées. L'action est captée par les caméras du guichet automatique ; le meurtrier est toujours masqué de sa cagoule.

Proulx amène ensuite le corps dans une maison qu'il sait abandonnée, un ancien magasin général qui appartient à une de ses grands-tantes. Il traîne la dépouille à travers la demeure, jusqu'à une chambre du rez-de-chaussée.

C'est sous le regard fixe d'une statuette de Saint-Joseph que Francis Proulx va profaner le cadavre de Nancy Michaud, alors que du sang s'écoule toujours du crâne de celle-ci. Le docteur Annie Sauvageau, pathologiste judiciaire, estime que la dépouille fut violée au moins trois fois, si l'on se fie aux différents stades de décomposition des spermatozoïdes retrouvés.

Puis, le nécrophile se met à penser aux détails pratiques. Craignant l'odeur qui émanera bientôt du cadavre, il l'enveloppe « comme une momie » dans des draps et de vieux sacs de couchage. Puis, il le traîne jusqu'à l'escalier raide du sous-sol, où il le projette.

Le 16 mai 2008 vers 4 h du matin, il rentre chez lui. Il se douche, va faire le plein d'essence, et achète un billet de loterie, comme il en a l'habitude.

Pendant ses 48 dernières heures d'homme libre, le voleur devenu assassin tente de se débarrasser des objets pouvant l'incriminer. Il disperse son fameux « kit de James Bond » dans les bois ou dans le fleuve. Précautions inutiles. La police remontera très rapidement jusqu'à lui. Entre autres preuves accablantes, la police trouve chez Francis Proulx la facture des menottes.

Les enquêteurs de la Sûreté du Québec découvrent la victime deux jours après sa disparition, dissimulée sous un tas de vieux sacs de couchage à côté de l'escalier. Un bras dépasse de ce que le meurtrier appelle « la momie ».

Le 17 mai 2008, Francis Proulx déclare aux policiers ne pas avoir tué Nancy Michaud.

Après avoir accepté de se soumettre à un test polygraphique, il finit par se rétracter. Il avoue son crime lors de l'interrogatoire subséquent. On l'arrête le jour même, soit le 18 mai 2008. Déclaré coupable de meurtre prémédité, il est condamné à la prison à perpétuité, sans possibilité de libération conditionnelle avant 25 ans. Ses demandes d'appel ont jusqu'à présent toutes été rejetées.

À Rivière-Ouelle, un parc a été inauguré en l'honneur de Nancy Michaud, afin de réaliser un projet qui lui était très cher, l'embellissement de la cour d'école Vents et Marées.

UNE BIEN MACABRE ASCENSION

MONTRÉAL, 2012

Fin mai 2012. Soir après soir, les rues montréalaises battent au rythme des casseroles que frappent une horde croissante d'étudiants et de citoyens qui manifestent leur mécontentement. Les médias et le public suivent et commentent la grève étudiante de près; c'est le seul sujet dont on parle, jusqu'à ce que, le 29 mai, une série d'incidents aussi insolites que macabres fassent une sérieuse concurrence à la crise sociale...

Les événements commencent lorsque Jenny Byrne, directrice des opérations du Parti conservateur du Canada, découvre un pied humain dans un colis taché de sang envoyé au siège social de son parti. La police, aussitôt alertée, s'empare d'un colis similaire avant qu'il se rende à destination: celui-là est adressé au Parti libéral, et contient une main tranchée.

Le SPVM, dépêché près d'un immeuble locatif du quartier Côte-des-Neiges à Montréal, découvre un paquet suspect dans un tas d'ordures: un tronc humain pourrit dans une valise depuis plusieurs jours, dégageant une odeur atroce. La scène du crime n'est pas loin...

Dans l'appartement récemment déserté d'un immeuble avoisinant, le réfrigérateur et un matelas sont souillés de sang. Un mur porte une étrange inscription: « Si vous n'aimez pas le reflet, ne regardez pas dans le miroir. Je m'en fiche. »

Les voisins perdront le sommeil, traumatisés à l'idée de ce qui s'est passé entre ces murs.

*

La police a vite fait d'identifier un dénommé Luka Rocco Magnotta comme le principal suspect de ce meurtre incompréhensible. Arborant des dizaines d'identités sur de nombreux réseaux sociaux, celui-ci aurait mis en ligne, le 25 mai, une vidéo de son meurtre sur un site canadien d'images extrêmes. Intitulée *1 Lunatic 1 Ice Pick*, elle y montre comment un jeune homme nu, ligoté sur un lit, se fait transpercer une soixantaine de fois l'abdomen par un agresseur qui entreprend ensuite de le démembrer. Sur la chanson *True Faith* du groupe New Order, l'assassin viole ce qu'il reste du corps, puis s'y prend une autre fois avec une bouteille. Il donne un peu de la chair du cadavre à un chaton, semble en consommer lui aussi. Il se caresse lascivement avec une des mains tranchées. Les derniers plans montrent la victime égorgée : sa tête et un pied ont été placés dans le compartiment à légumes d'un frigo. Puis, l'image fixe du profil du tueur, dissimulé sous le capuchon d'un parka bleu foncé, envahit l'écran. Objet tranchant à la main, il se tient devant une affiche de *Casablanca*.

Cette dernière image avait commencé à circuler sur YouTube dix jours avant la date présumée du meurtre et de la mise en ligne de sa vidéo. La bande-annonce d'un film prochainement sur vos écrans...

Le prédateur et sa victime s'étaient-ils fréquentés avant la date fatidique ? La dernière image laisse présumer que oui.

*

Jun Lin avait quitté la Chine pour poursuivre des études en informatique à l'Université Concordia, où il était inscrit depuis juillet 2011. Il avait 33 ans. Dans un blogue qu'il alimentait régulièrement, il parlait de son chat, de la mode et des aspects pratiques du iPhone. Il s'inquiétait aussi de son apparence et de son âge, ses camarades de classe ayant dix ans de moins que lui. Se reprochant de grossir, il promettait de suivre un régime. Sans doute se sentait-il inquiet et seul dans sa nouvelle ville, mais aussi plus libre qu'il ne l'avait jamais été.

Qu'a-t-il ressenti en présence de Luka Rocco Magnotta, cet être androgyne dont la voix étrangement grave jurait avec le physique ? Ce dernier lui avait-il raconté ses voyages à Los Angeles et à Londres ? Ses tentatives peu concluantes de faire carrière dans le porno ? Lui avait-il dit qu'il possédait une foule d'identité dans les blogues, sur Facebook, et dans des *chat rooms* peu fréquentables, où l'on parlait de nécrophilie, de tueurs en série et de suprématisme blanc ? S'était-il vanté d'avoir créé de toutes pièces la rumeur selon laquelle il avait fréquenté la tueuse Karla Homolka, histoire de devoir tout nier avec véhémence à la radio et à la télé pour sauver sa réputation ? Ou l'avait-il plutôt impressionné avec ses histoires de mannequin sur la voie du succès en lui montrant des images — parfois retouchées — où il apparaissait à la plage, à bord de voitures de luxe, dans des lieux exotiques ?

Pour la plupart de ceux qui l'ont rencontré — journalistes, photographes et autres collaborateurs de passage —, Luka Rocco Magnotta avait une présence qui donnait froid dans le dos. Le jeune immigré chinois, sans doute moins soupçonneux puisque dépaysé et seul, s'est peut-être étonné que ce garçon ambitieux et plein d'assurance s'intéresse à lui. Mais quand il se trouve ligoté sur le lit de l'individu, il ne sait sans doute pas de quelle horrible manière il sera l'instrument du rêve que Magnotta a courtisé toute sa vie : la célébrité.

Cela fait quatre jours que Magnotta s'est enfui à Paris quand la police, via Interpol, émet une « notice rouge » d'arrêt international. Il est alors à la tête de la liste des suspects les plus recherchés à travers le monde. Pendant qu'il joue à cache-cache avec la police, s'aidant de faux passeports et de fausses cartes d'identité, les médias excavent tout ce qu'on a pu dire de lui, spécialement sur Internet. On apprend qu'il est déjà recherché par la police pour des vidéos où il tue des chatons (l'un d'eux s'intitule *1 Boy 2 Kittens*) ; certaines vidéos remontent à 2010.

Alarmé par ces vidéos, l'Animal Beta Project, un groupe qui lutte contre la cruauté envers les animaux, collige depuis longtemps un dossier sur Magnotta, déboulonnant au passage ses prétentions : « Magnotta se présente [sur le web] comme un mannequin et un acteur porno connu, tourmenté par des colporteurs de ragots, peut-on y lire. Mais en creusant davantage, on s'aperçoit que l'information qui circule sur Internet [à son sujet] provient de Magnotta lui-même. » Les auteurs du dossier ne cachent pas leur crainte que Magnotta s'en prenne éventuellement à des êtres humains.

Est-ce pour goûter à la satisfaction de voir comment la presse se fourvoie parfois quant à sa soi-disant notoriété que le 4 juin, il se présente au cybercafé berlinois où la police l'arrête ? Ou est-ce pour contempler l'étendue de son œuvre médiatique, l'omniprésence de son nom aux unes des journaux ? Nul ne le sait, mais c'est ici que se termine la chasse à l'homme. Accusé, entre autres, de meurtre prémédité, d'outrage à un cadavre, de publication et d'envoi par la poste de matériel obscène, Magnotta est rapatrié au pays le 18 juin, escorté par l'Aviation royale du Canada. Coût total de l'opération : plus de 350 000 $.

*

Les parents de Lin Jun croient que leur fils s'est présenté chez son assassin présumé pour réparer son ordinateur. Sans doute n'ont-ils pas tort de déclarer que Magnotta a abusé de sa gentillesse, voire de sa naïveté.

On attend maintenant le procès de Luka Rocco Magnotta qui scellera, en mars 2013, le troisième acte de cette longue et cruelle mise en scène. En prison, le tueur recevrait un courrier abondant de ses admirateurs.

Ce cas a porté l'attention du public sur un nouveau genre de psychopathe : technologiquement averti, avide de célébrité, capable de commettre le pire si cela contribue à imprimer son image dans l'imaginaire collectif, il est l'avatar extrême et tordu de ce qui pousse tout un chacun à regarder des téléréalités, à s'inventer de fausses vies sur Internet — des vies qui semblent parfois plus vraies que la réalité !

Si vous n'aimez pas le reflet, ne regardez pas dans le miroir... Combien sont-ils, comme Magnotta, à attendre leur heure de gloire ?

FAITS DIVERS

CASSE-TÊTE CHINOIS

Du Xe siècle au début du XXe siècle, il aurait été de coutume, en Chine, de punir les crimes exceptionnels par le supplice du *lingchi*, terme intraduisible qui a trouvé des incarnations françaises aussi variées que *supplice de la mort lente*, *supplice des huit couteaux* ou encore *supplice des cent morceaux*. Cette pratique a duré juste assez longtemps (on y a mis fin par décret impérial en 1905) pour faire l'objet d'une série de photographies saisissantes. En résumé, le criminel était emmené sur la place publique, attaché à un pilon, puis lentement dépecé par ses bourreaux, des extrémités du corps à la tête. Une forte intoxication à l'opium garantissait que le coupable ne rende pas l'âme trop rapidement. Il y avait de quoi dissuader le commun des mortels de se laisser tenter par le parricide, les meurtres en série, ou l'outrage à l'empereur.

Heureusement, ce supplice raffiné n'a jamais été cautionné par l'État québécois ! Le crime organisé y a cependant eu recours dans certaines vendettas, et, de tout temps, des déséquilibrés s'y sont adonnés.

La dispersion des membres d'une victime inconnue donne toujours du fil à retordre à la police, alors obligée d'organiser des battues exténuantes pour les retrouver. Parfois, on doit fermer l'enquête sur des mystères irrésolubles.

*

Pensons à la jambe du lac Ouareau, par exemple. Le 20 juillet 1957, elle est découverte par deux jeunes vacancières en chaloupe, attirées par ce curieux objet qui flotte près de la rive. Une jambe d'homme. La police est appelée sur les lieux.

L'autopsie révèle qu'elle a appartenu à un homme d'environ six pieds. Sa jambe aurait été jetée dans le lac peu de temps après ce qu'on suppose être un meurtre. Elle y flotte depuis trois semaines. Trois semaines, trois semaines... Cela ne coïncide-t-il pas avec la disparition de Larry Petrov, qu'on soupçonne d'avoir été mêlé à la pègre et au vol de la succursale de la Banque de Montréal à Outremont, en janvier ? Il s'agit là d'une grosse affaire : une centaine de coffrets de sûreté ont été dévalisés, et on reste prudent quant à l'évaluation des pertes, officiellement estimées à un montant se situant entre 300 000 $ et un million, mais sans doute beaucoup plus élevé. Si Petrov avait essayé de tirer profit du butin sans rester loyal à la pègre ? Et si la pègre avait décidé de punir Petrov pour montrer l'exemple ? Et si, et si, et si...

En attendant d'en savoir plus, on dépêche les parents de Petrov à la morgue pour qu'ils identifient la jambe, et sans doute pour qu'ils confirment certaines intuitions de la police. Il semble bien que ce soit lui : la jambe coupée porte encore un de ses bas bleus caractéristiques. Un produit cher, uniquement disponible en importation. La mère de Petrov fournit des exemplaires de chaussettes similaires ayant appartenu à son fils. Reste à découvrir où se trouvent le ou les restes du corps, et comment la jambe s'est retrouvée dans le lac Ouareau, particulièrement difficile d'accès par voie terrestre. A-t-elle été jetée du haut d'un petit avion ? Cela aurait permis de disperser les autres morceaux dans les lacs voisins, auxquels nulle route ne donne accès. De fil en aiguille, on apprend qu'un autre suspect dans l'affaire du cambriolage a récemment loué un avion à une compagnie privée. Mais trop tard : il a déjà été assassiné. Pour ce qui est de Petrov, on n'est pas autorisé à le déclarer mort : l'assistant du procureur soutient qu'une jambe trouvée n'est pas une preuve de décès. Aucun mandat du coroner n'est donc délivré pour instruire l'enquête. Et l'énigme de Petrov sera classée, sans être résolue de quelque manière que ce soit.

*

Le corps de Larry Petrov, mort ou vif, n'a jamais été retrouvé, mais les problèmes ne sont pas pour autant réglés quand la reconstitution du puzzle est presque complète et qu'il ne manque, par exemple, que les mains d'une victime... Qu'on prenne l'histoire du décapité de la rue Bourbonnière. Elle fit énormément sensation.

Un paquet sanglant est trouvé le 28 octobre 1953 dans une ruelle du quartier Rosemont, tôt le matin. Les deux constables dépêchés sur les lieux découvrent, emballé dans de la toile, un corps de carrure athlétique auquel il manque les pieds, les mains et la tête. Le coroner relève à l'omoplate une plaie causée par l'entrée d'un projectile de calibre .38, qui a sans doute causé la mort de l'individu. Au moins trois objets coupants ont servi au démembrement, du simple couteau (pour découper les chairs molles) à la scie mécanique. De toute évidence, plusieurs assassins étaient dans le coup. Et ils connaissaient leur affaire.

D'autres morceaux ne tardent pas à apparaître. Les pieds de la victime sont retrouvés dans les environs de Joliette, à plus d'un mille de distance. Puis, dans un fossé à quatre milles de l'Assomption, la tête est enfin découverte. Elle est emballée dans de vieux journaux de bandes dessinées qui ne sont plus en circulation depuis longtemps. Le crâne est fracturé ; une roue de voiture lui a roulé dessus. Une balle a été tirée après le décès de l'individu : elle a traversé la tête d'une oreille à l'autre.

Malgré les difficultés, un embaumeur tâche de rendre à la tête son apparence d'origine. Une fois son travail accompli, les curieux se massent à la morgue. L'image circule largement dans les journaux, sous tous les angles : la voilà devenue vedette... Mais personne ne la reconnaît. Il faut dire que le corps et la tête présentent de nombreux signes d'une élégance atypique. La moustache finement taillée par un barbier, les aisselles épilées, et la propreté minutieuse des ongles d'orteil portent à conclure que la victime était sans doute d'origine européenne... N'excluant aucune hypothèse, la police interroge des bouchers et des imprimeurs ayant déjà eu maille à partir avec la justice. Elle se laisse aussi guider par ce qui se révèle de fausses pistes — cela aura par ailleurs permis de retracer nombre de personnes déclarées disparues. Mais les mains ne seront jamais retrouvées, et rien de plus ne sera révélé sur le mort.

Cette victime dépecée cruellement était sans doute une mort voulue « exemplaire » dans la guerre sans merci que se livraient déjà les gangs de l'ouest et de l'est de la ville ; la médiatisation généreuse de l'affaire contribua alors à répandre un message écrit et codé dans le sang, que seuls ceux à qui il s'adressait personnellement étaient en mesure de comprendre.

*

Le crime organisé a ses raisons, et à moins d'y être mêlé ou d'avoir dû solliciter ses faveurs, il y a peu de risques d'être victime de ses assassinats aussi méthodiques que cruels. Hélas, cela ne protège personne d'une mort inexpliquée. Parfois, la mort tire de l'anonymat une pauvre victime en l'y replongeant de manière définitive, laissant comme seul souvenir l'image d'un cadavre non identifié et horriblement mutilé. C'est le cas de l'affaire des « mains de Charlemagne », trouvées au-dessus de sacs d'épicerie qui contenaient deux bras et trois morceaux de jambe. Deux pêcheurs ont découvert le macabre paquet le 6 avril 1968 sur la berge de la rivière l'Assomption.

Le rapport d'autopsie a conclu qu'il s'agissait d'une femme âgée entre 50 et 80 ans. Cheveux gris, ossature fragile, corps maigre de quatre pieds dix pouces... Chose certaine, il ne s'agissait pas d'une personne en bonne santé. Elle semblait rachitique et sous-alimentée. Peut-être avait-elle été séquestrée ? Ses membres devaient avoir été découpés à la hache ou sciés ; quant aux sacs déposés sur la rive — ou peut-être jetés maladroitement du haut du pont situé tout près — ils trahissaient un travail d'amateur. Or, tout comme la jambe trouvée de Petrov ou la tête du macchabée de la rue Bourbonnière, le crime n'en était pas moins « parfait », car on n'apprit jamais rien d'autre sur la victime, et encore moins sur son agresseur. N'y avait-il personne pour se souvenir d'elle, pour remarquer sa disparition ? Apparemment pas. Ainsi meurent des gens particulièrement anonymes, qu'on ne « connaît » que pour leur mort, mystérieuse et horrible.

DES BÊTISES QUI NE PARDONNENT PAS

Avouons-le candidement: il existe des façons stupides de mourir. À constater les manières parfois saugrenues qu'ont les gens de perdre la vie, on se dit parfois qu'un peu plus d'intelligence et un peu moins d'inconscience auraient suffi à éviter de bien fâcheux accidents.

Personne n'est à l'abri d'un moment d'égarement: même un électricien n'est pas protégé de mourir d'avoir essayé de remplacer une ampoule dans sa salle de bains sans éteindre l'interrupteur. Cependant, si nous n'avons pas toujours conscience de nos gestes, la Grande Faucheuse, elle, garde l'œil ouvert. Elle ne prend ni notre inconscience, ni le mode d'emploi qu'on ne s'est jamais donné la peine de lire, ni nos facultés affaiblies par la fatigue ou l'alcool comme des excuses suffisantes pour lui échapper.

*

Très populaire, le site des Darwin Awards — www.darwinawards.com — se fait un devoir de compiler les histoires confirmées de morts attribuables à la bêtise de leurs victimes. Inspirés de la théorie de l'évolution du célèbre Charles Darwin, les prix sont assez cruellement attribués (ici, de façon posthume) aux «personnes qui, mortes suite à un comportement particulièrement stupide de leur part, sont ainsi remerciées [...] pour avoir, de cette façon, contribué à l'amélioration globale du patrimoine génétique humain ».

Hélas, il existe une catégorie d'actes imprudents ou stupides qui se retournent non pas contre ceux qui les perpètrent, mais contre des victimes innocentes. En rire est alors beaucoup moins tentant.

*

À classer sans conteste dans la catégorie de la négligence criminelle, ce premier fait divers est authentique, mais puisque l'une de ses protagonistes était mineure à l'époque des événements, aucun nom ne sera divulgué. Appelons-les « Mère-fille » et « Père-fils ».

Elle a 17 ans, il en a à peine un peu plus. Le 7 juin 2010, le jeune couple vient de s'installer dans une maison située dans un rang de Saint-Barnabé Sud, en Montérégie. Il s'agit d'une maison dont la propriétaire loue des chambres ; en plus du couple, quatre autres personnes y ont emménagé.

La propriétaire possède un chien de race husky — un chien de traîneau avec une bonne dose de sang de loup, au tempérament pas toujours commode. Le couple, quant à lui, a une petite fille de 21 jours, et possède également un husky. Les deux gros chiens ne sont pas familiers et n'envisagent pas avec bonne humeur leur cohabitation forcée. Ils se reniflent le derrière avec un mécontentement que seule la présence de leurs maîtres empêche d'exploser.

Le 7 juin 2010, donc, la mère de Mère-fille lui rend visite. Elles sont seules. Complètement seules ? Non, bien sûr. Cela serait oublier le bébé, posé par terre dans son siège. Les deux femmes vont griller une cigarette sur le balcon arrière. La mère prend des nouvelles de sa fille. Père-fils n'est pas dans les environs ; il dira plus tard qu'il était parti chercher du travail. Après que la cigarette ait eu le temps de se consumer — sans doute une dizaine de minutes plus tard — elles rentrent. Horreur : le bébé est dans un sale état. Il a été mordu à la tête. Le médecin dépêché sur les lieux ne peut que constater son décès.

Quiconque a déjà vu un chien attaquer une marmotte ou un lièvre commence à peine à imaginer la cruauté qu'un chien mal dressé peut réserver à une jeune proie humaine. Dans de tels cas, le comportement de la bête est généralement le même: instinctivement portée à s'en prendre aux régions les plus vulnérables, elle s'attaque au cou et au visage de la victime en usant de toute la force de ses mâchoires, avant de secouer celle-ci violemment, comme un jouet. Longue est la liste des enfants qui ont péri dans de telles agressions ou qui, pour les plus fortunés, s'en sont trouvé défigurés.

Des accusations d'homicide involontaire seront portées contre Mère-fille; l'affaire fait du bruit. À la télévision, les avis se déchaînent: des spécialistes se prononcent, tant du côté de la DPJ que des experts en psychologie animale. Les accusations sont jugées excessives par certains, surtout que l'accusée est mineure. Le couple en deuil se fait interviewer, la caméra à hauteur de thorax, afin que leur visage reste hors-cadre. Leurs propos, livrés de manière monocorde et laconique, sont analysés par des panels qui en concluent que leur apparente absence d'émotion est le plus sûr indice d'un cœur qui saigne...

Le mot de la fin revient à Père-fils, à qui le concept de « dressage » et encore moins celui de « dominant-dominé », si important à établir avec des animaux de meute, semblent étrangers: « Un chien, *on ne contrôle jamais ça*. Ça a beau être le chien le plus gentil du monde, ça a adonné comme ça, c'est tout. »

*

À classer sans conteste au rang de la stupidité pure et simple, la prochaine histoire n'implique aucun animal de compagnie, mais devrait servir d'avertissement pour quiconque considère sans danger les produits domestiques, surtout lorsqu'on les utilise au mépris des avertissements contenus dans leurs instructions, tels que « poison mortel » ou « produit corrosif » — généralement doublés d'images sans équivoque...

En juin 2012, le couple formé par Nikolas Stefanatos et Tanya St-Arnauld bat sérieusement de l'aile. La jeune coiffeuse en a assez de son homme, qui se présente sur Internet comme un gars *cool*, bière à la main et pouce en l'air, mais qui lui fait des crises de jalousie à répétition. Ils emménagent néanmoins ensemble en juillet.

Certains couples espèrent que la cohabitation stabilisera leur situation; l'effet salutaire espéré se fait pourtant attendre. Tanya en a plein le dos, elle songe à partir, mais les deux tourtereaux continuent de faire la fête...

Le 26 août, les voilà qui reçoivent des amis pour un barbecue. La soirée est bien arrosée, on s'amuse, mais une fois les amis partis, la crise éclate — encore une fois. L'ébriété n'aide pas. On se traite de tous les noms, on s'asperge de tout ce qui nous tombe sous la main... Les condiments du barbecue y passent, et lorsque Tanya attaque son petit ami avec du ketchup, Nikolas voit rouge... Il s'empare d'une bouteille de ProFlow, un produit extrêmement corrosif conçu pour déboucher les tuyaux — le genre de produit que certains plombiers déconseillent d'employer, car c'est souvent la tuyauterie même qui fissure et fend... Oui, c'est bien de ce produit que Stefanatos asperge maintenant sa victime.

Tanya hurle. Le produit attaque la peau de son visage, de ses bras, de ses épaules, de son cuir chevelu. Titubante, elle déboule l'escalier, crie, supplie son ami d'arrêter, mais Nikolas la rejoint et continue sa besogne. Jusqu'à ce qu'il ressente lui-même une douleur au bras... Dans le désordre, il a été touché lui aussi. Il se précipite en criant dans la cour pour s'asperger d'eau avec un arrosoir ; Tanya demande secours à une voisine, absolument sidérée de la voir dans un tel état : sa peau pèle et fond, elle dégage une odeur de fumée... Elle lui prête un peignoir et lui ouvre la salle de bains ; Tanya se nettoie à grande eau, tandis qu'on appelle les urgences. Elle perdra connaissance dans l'ambulance. On l'envoie aussitôt au service des grands brûlés de l'hôpital Charles LeMoyne.

Ce n'est, hélas, que le début du supplice. Son état nécessite des greffes de peau, qui n'obtiennent pas de bons résultats ; l'un de ses bras ne peut plus plier, et elle devra porter des bandages et un masque, sans doute plusieurs années.

Durant l'enquête préliminaire, Nikolas Stefanatos tente de jeter le blâme sur ses problèmes de drogue, et demande qu'on le libère afin qu'il entre en cure de désintoxication. Ses aveux n'émeuvent pas le juge, qui décide de le garder en détention jusqu'au début du procès. Les proches de Tanya ont l'intention d'exiger une peine des plus sévères.

Bien que l'histoire soit à suivre, on peut déjà constater que l'alcool et la drogue n'ont jamais été de bons prétextes pour excuser certains comportements...